Nederlandse volksschilderkunst

Afb. 1 De auteur aan het werk

J. Zuidema

Nederlandse volksschilderkunst

Het leren schilderen van Hindelooper, Assendelfter, Amelander, Zeeuwse en Staphorster motieven

Cantecleer bv, de Bilt

Dit is een uitgave in de serie 'Werken en Spelen'

Foto's:
Fons Hellebrekers, Den Haag; afb. 19, 25, 26, 27, 28, 29, 30, 31, 32, 33, 76, 77, 78, 79, 80, 82, 83; kleurplaat 1, 2 (bovenaan), 3, 4, 5, 6, 7, 8
Bert Buurman, Amsterdam; afb. 12
Jan Kruitwagen, Babberich; afb. 1, 10
Fotodienst Leeuwarder Courant, Leeuwarden; afb. 18
Hans van Ommeren, Woerden; afb. 2, 3, 4, 9, 11, 16, 17, 22, 23; kleurplaat 2 (links en rechts onder)
Fotodienst Rijksmuseum van Volkskunde, Het Nederlands Openluchtmuseum, Arnhem; afb. 13, 13a, 14, 14a, 15, 24
Fotodienst Fries Museum, Leeuwarden; afb. 5, 6, 7, 8, 20, 21
Afb. 24 is welwillend ter beschikking gesteld door Elsevier Nederland B.V. Deze foto is afkomstig uit het boek: 'Volkskunst der lage landen' van de heer T.W.R. de Haan; Elsevier Amsterdam, 1965
Tekeningen:
Jacques Zuidema, Gorinchem
Studio Combo, Baarn (afb. 81)
Typografische verzorging: Nel Witte-Brooymans, Boxtel

Vijfde bijdruk 1981
ISBN 90 213 1348 0

Verspreiding voor België: Uitgeverij Westland n.v., Schoten

Inhoud

Inleiding

Het boekwerkje dat nu voor u ligt is geen wetenschappelijk werk, maar véél-eer wil het een serieuze benadering zijn van de oude Nederlandse volkssierkunst zoals die door eenvoudige lieden, zoals Zaanse schilders en timmerlieden, Marker vissers, Friese boeren, Amelander walvisvaarders en vele anderen in vroeger tijden in ons land werd beoefend en zoals die tegenwoordig weer beoefend wordt.
Het zou niet juist zijn deze schatten van volkssierkunst maar ergens in een hoek van ons land te bewaren; ze verdienen onze volle aandacht. Daar ons land momenteel overspoeld wordt met lektuur en voorbeeldboekjes uit de Duitstalige landen, is het mijn oprecht streven deze rijke erfenis aan motieven en voorwerpen te bestuderen en zo mogelijk aktief bij te dragen aan het terug komen van de zo prachtige volkssierkunst van ons land.
Wél zal ik in dit boekje de geschiedkundige achtergronden aanroeren, anders zouden we tot onkunde en zelfs tot 'kitsch' kunnen vervallen.
Ook heb ik nieuwe stappen willen zetten op 'oude gronden' en ik hoop dat ik hierdoor veel zélfbeoefenaars van de volkssierkunst een prachtige hobby mag bezorgen.
Niet alleen in ons land, waar het Hindelooper bij voorbeeld grote bekendheid geniet, maar ook in Amerika, waar in de staat Pennsylvania het 'Pennsylvania Dutch', in de Duitstalige landen de 'Bauernmalerei' en in Noorwegen de 'Rose-Maling' weer sinds een zevental jaren levendig beoefend wordt, is weer een grootscheepse opleving van deze vorm van volks- en ambachtskunst te bespeuren.
Deze terugkomst wordt ook in de hand gewerkt door de huidige omstandigheden. In deze tijd van jagen en vliegen hunkert men tóch naar nostalgische 'mooie dingen met karakter'!
Daarbij bedenke men, dat meubels uit een kleine Hindelooper zomerwoning, een Amelander huis of een Zaanse koopmanswoning naar onze kamers en salons en ook wel naar de musea zijn verhuisd.
Ook heb ik gedacht er goed aan te doen de vreugde, die ikzelf al jaren in mijn beroep aan dit schoons heb beleefd, met anderen te delen en aan ieder, die hierin geïnteresseerd is, mijn ervaringen door te geven om zélf te zien, zélf te beoefenen en zélf uit te voeren. Vandaar de praktische indeling van dit boek.
Eerst worden de materialen, gereedschappen en voorbereidingen besproken. Daarna volgt een praktische handleiding om de verschillende schilderstechnieken te leren.
Er zijn veel oude motieven opgenomen, zodat u de behandelde schilderstechnieken ook daadwerkelijk kunt toepassen.

Jacques Zuidema

Geschiedenis

Om een goed beeld te krijgen van de rijkdom aan volkssierkunst in ons land, bespreken we eerst de diverse streken waar dit van oudsher beoefend werd en waar vaak nog in de oude stijl gewerkt wordt. De specifieke streekmotieven en verschillende stijlen zijn te zien op de afbeeldingen van oude schilderingen, die nu veelal in musea te bezichtigen zijn. Achterin het boek treft u een adressenlijst van de musea aan.

DE ZAANSTREEK

De Zaanstreek werd door onze vroede vaderen ook wel 'het Sa(a)rdammerland' genoemd. Al lag deze streek onder de rook van het nabij gelegen machtige, invloedrijke en kulturele Amsterdam, toch is er veel moois te vinden. Er is wel veel verdwenen, maar gelukkig vinden we nog wel sporen van een groots en rijk verleden.
Hier huisden rijke kooplieden (Commandeurs), bloeiden industrieën en nog heden getuigen vestigingen en fabrieken van oude welstand. Nog steeds vindt men er, als in vorige eeuwen, levensmiddelen, oliën en vetten, hout en scheepstimmerwerven. Ook namen van oude geslachten, men denke aan de naam Honig.
Het is wel te betreuren dat de Zaanstreek veel karakteristieks verloren heeft. Er zijn gelukkig nog veel mooie plekjes, maar de grote stad komt steeds naderbij.
In de Zaanse Oudheidkamer te Zaandijk treft men een schilderijtje van G. Walg, gemaakt in 1849. Op de achterkant staat vermeld 'Zaansche huiskamer in nette burgerwoning'. Een sombere balkenzoldering en betimmeringen geschilderd in een getemperd geel, wél prachtige tegels aan de wanden, maar geen glimp van beschilderde meubels! Hiervoor moeten we terug naar de Gouden Eeuw en de tijd van de grote compagnieën. Toen waren alle interieurs overdadig en luxueus ingericht. Een goed voorbeeld vinden we in het Enkhuizer Zuiderzee Museum, waar we een Zaans pronkinterieur aantreffen. Ook de koopmanskamer en de pronkkamer in de Zaanse buurt van het Openluchtmuseum te Arnhem geven een duidelijk beeld van luxe en kleurgevoel. Ook op een privé-adres in Koog vinden we beschilderde houten wanden: polychroom geschilderd op flets okergeel.
De Zaanstreek kende omstreeks 1600 een welvaart, die de streek boven andere gebieden verhief. Er werd veel geld met de houthandel verdiend. De Reformatie heeft hier grote invloed gehad en de mensen geestelijk verruimd. Tevens lieten zich allerlei invloeden en stromingen van buitenaf gelden.
Hier werden vroeg in de 17e eeuw al meubels gedekoreerd. De Zaanse vrouw, die in die tijd in oude geschriften 'haare vrouwe afgod' genoemd werd, had een unieke smaak en ook een unieke dracht. Er waren prachtige beschilderde pronkbuffetten, grote vierdeurskasten, versierd met bloemguirlandes en bloemsleep, beschilderde klaptafels en ook Zaanse knopstoelen met rood-

grijs-blauwe stippeltjes op crème fond. Ook is in een kollektie een zogenaamde drietand te zien, een soort opa-stoel met twee smallere stoelen er aan vast, terwijl over de drie heen één biezenmat gemaakt is. Ook deze stoel heeft weer stippels op crème fond.
De oude Zaankanters (bewoners van de Zaanstreek) hadden de goede gewoonte overal jaartallen en gebeurtenissen met veel namen van eigenaren te vermelden, maar de namen van de schilders zijn weggelaten.
Assendelft en Jisp zijn twee plaatsen in de Zaanstreek waar vroeger ateliers van volksschilders waren. De Assendelfter en Jisper kasten zijn nooit gesigneerd, met uitzondering van de Assendelfter kast in het Leeuwarder Fries Museum, waar we de signering van Arian Janz. v. Croonenburg met Fesie Dirckx 1672 of 1673 aantreffen én een kastje in een familiebezit in Arnhem. Dit is voor veel heemkundigen een raadsel en men vraagt zich af of deze kasten, die toch als Jisper en Assendelfter kasten de geschiedenis in zijn gegaan, werkelijk wel in de Zaanstreek gemaakt zijn. En omdat men geen namen vindt is het des te interessanter dat het voornoemde kastje in Arnhem wél een duidelijke signering draagt. Het is niet zomaar een kast, het is een soort huisaltaar, met twee bijbelse taferelen op panelen, die toegeklapt kunnen worden. Het werd in 1773 door een Amsterdamse schilder, Cornelis Wever, geschilderd.
De grote Assendelfter kasten hebben op de vier deurpanelen meestal bijbelse taferelen, prachtig uitgebeeld.
Van dezelfde onbekende schilder vindt men in de musea van Arnhem en Enkhuizen en bij drie partikulieren prachtige voorbeelden hiervan. Alleen staat in Arnhem bij de afbeelding van de heilige familie en de vrouwen uit Bethlehem een emmertje op de voorgrond en dit is in Enkhuizen vergeten.
De Assendelfter kast verschilt duidelijk van de Jisper kast door de open ruimte (= een toog) tussen de bovenste (kleinere) deuren en de grotere onderdeuren. Deze ruimte diende voor een pronkservies of ander aardewerk. Typisch voor Assendelft is de rode getande toog met vergulde rozetten van houtsnijwerk. De lijsten zijn gemarmerd, op de kapfries en soms op de lade staat een jachttafereel (zie afb. 2). Prachtige bloemguirlandes sieren de stijlen (zie afb. 2). Ook is op de kasten een uniek type roos gebruikt (zie afb. 3), die altijd wordt aangeduid als de 'Assendelfter roos'. Met forse streken is deze roos in elkaar 'gesleept' of 'geslagen'. ('Slaan' is een Hindelooper uitdrukking voor de penseelbehandeling, zie blz. 60).
Veel bekendheid geniet in de Zaanstreek de klaptafel, die wel 'flap-aan-de-wand' wordt genoemd. In het Openluchtmuseum te Arnhem vinden we ook een Assendelfter tafel met veelkantig blad. Deze tafel is werkelijk beeldschoon beschilderd met een krans van bloesems en fladderende leeuweriken. De unieke draaikonstruktie toont veel overeenkomst met een Hindelooper tafel.
In het Enkhuizer Zuiderzee Museum vinden we een hoogst interessant Westfries boereninterieur. Dit interieur vertoont prachtige bloempanelen en gemarmerde lijsten, wat in die tijd zeer veel voorkwam. De bloemen zijn niet dezelfde als die van de Assendelfter kasten. Als een hereboer of bezitter van een stolpboerderij er wat geld voor over had, kon hij zijn wat sombere behuizing laten beschilderen en dekoreren. In die tijd kende men nog geen behang. De gegoede Zaankanters wel, want in meerdere gevallen vinden we daar handbeschilderd behang.

Kleurplaat 1
Dienblad, beschilderd met oude Jisper motieven. Lucifersdozen, ovale doosjes en ronde doos, beschilderd met Assendelfter bloemen

◀ Afb. 2 Paneel van een Assendelfter kast, waarop 'De aanbidding der drie koningen' staat afgebeeld. Deze kast is te bezichtigen in het Openluchtmuseum in Arnhem en dateert van ± 1680-1700

▲
Afb. 3 Detail van de Assendelfter kast op afb. 2. Hier ziet u een mooi voorbeeld van een bloemfestoen (rozen en mispelbloem)

Afb. 4 Paneel van een Assendelfter kast, waarop 'De nederige geboorte' staat afgebeeld. Deze kast is te bezichtigen in het Openluchtmuseum in Arnhem en dateert van ±1680-1700

Ook op de zeldzaam voorkomende hoekkastjes vinden we groots opgezette bijbelse voorstellingen, David harpspelende voor Saul of koning Salomo en de koningin van Scheba. De troon van Salomo telt aan beide kanten twaalf gouden leeuwen. Het lijkt wel of de Zaankanters elke dag deze bijbelse scènes wilden zien! Dit in tegenstelling tot bijv. Hindeloopen, waar zeegezichten zeer geliefd waren.

Naar mijn beste weten is er na ± 1840 in de Zaanse plaats Assendelft niet meer geschilderd. De tijden veranderen. Als we dit vergelijken met Hindeloopen zien we dat daar pas eind 1800 een grote opleving kwam. De Assendelfter schilderkunst 'stierf', terwijl men in Hindeloopen juist in de gaten kreeg, dat men hiermee zijn brood kon verdienen. Van ongeveer 1840 tot 1900 was het vooral voor 'eigen' gebruik en het werd zo de grondslag van de Hindelooper ambachtsindustrie, terwijl in Assendelft zelfs niet meer bekend is waar de schildersateliers zich bevonden.

(Zie Assendelfter en Jisper motieven, blz. 77 t/m 87.)

Afb. 5 Amelander tobbe, waarop een tafereel van een walvisvangst en 'de-man-onder-de-beer' staat afgebeeld. Deze tobbe is te bezichtigen in het Fries Museum in Leeuwarden en dateert van ±1700

AMELAND

Op dit prachtige eiland vinden we veel bijzonderheden. In een Amelander interieur uit de 18e eeuw valt ons op dat de beddeschotten (houten aftimmering tussen slaap- en woonruimte) erg eenvoudig zijn, terwijl ze in Workum en Hindeloopen zo rijk beschilderd waren. Achter deze schotten was de bedstee met eronder de 'onderbedstee'. Vóór deze schotten stond dan het beroemde beddebankje, waarop men stapte als men in bed klom. Dit meubeltje wordt ook 'Sardammer' bankje genoemd en dat heeft een heel speciale reden. De Amelanders hebben zich namelijk net als de Zaankanters beziggehouden met de scheepvaart. Vooral tussen 1720 en 1790 waren de handelsbetrekkingen met de Zaanstreek zeer intensief. De Amelanders voeren voor Zaanse reders. En dat betrof niet alleen de houthandel. Uit verschillende oude dokumenten en geschriften blijkt dat de Amelander mannen ook aan de walvisvangst deelnamen. Met verhalen en ervaringen kwamen ze na maanden thuis. Als we zien hoeveel unieke voorstellingen hierop betrekking hebben, kunnen we ons voorstellen hoezeer die verhalen tot de volksverbeelding gesproken hebben. Jammer genoeg zijn ons geen namen van Amelander schilders bekend.

Op Ameland vinden we kleine kuipen of

Afb. 6 Amelander wieg, waarop walvisvaarders en op de voorgrond een ijsschots met robben staan afgebeeld. Deze wieg is te bezichtigen in het Fries Museum in Leeuwarden en dateert uit ± 1700

tobben met op de bodem o.a. het tafereel van 'de-man-onder-de-ijsbeer', een voorstelling van een man op een ijsschots die door een ijsbeer aangevallen wordt. Drie vrienden gaan de beer met een knuppel te lijf. Deze voorstelling is ontleend aan een historisch feit. Een Zaanse Commandeur die zich op het ijs had gewaagd werd aangevallen door een ijsbeer, maar heeft het er, mede dank zij de hulp van zijn vrienden, levend afgebracht. Weer thuis gekomen heeft hij opdracht gegeven dit tafereel te schilderen. Dit tafereel is daarna vaak als voorbeeld gebruikt en zowel in de Zaanstreek als op Ameland treffen we hiervan mooie eksemplaren aan (zie afb. 5). Een bewijs dat voorwerpen, die in de Zaanstreek beschilderd werden, ook naar Ameland gebracht werden. Oude verhalen over o.a. de walvisvaart worden nu nog op Ameland vertelt. Het is daarom zo jammer dat er geen datering is van Amelander schilders.

Een feit dat even aangetipt dient te worden is het volgende. De Amelander volksschilderingen komen haast zeker voort uit het Zaanse gebruik in de 17e eeuw om meubels en gebruiksvoorwerpen te beschilderen. In beide gebieden vindt men de Noordhollandse en Amelander hoekkastjes, die veelal van bijbelse voorstellingen voorzien waren. Op Ameland treffen we verder een primitiever soort kastje aan, dat getuigt van een andere hand van schilderen en voorzien is van mytologische voorstellingen. We mogen aannemen dat deze

Afb. 7 Amelander mangelbak uit 1686. Dit is de oudst gedateerde bak waarop een echtpaar, geschilderd op grisaille, staat afgebeeld omgeven door een rand van acantuskrullen, vruchten en bloemen. Deze bak is te bezichtigen in het Fries Museum in Leeuwarden

kastjes, evenals de bedde- of Sardammer bankjes, op Ameland in navolging van de Zaanse en Noordhollandse gemaakt werden.
Drie taferelen komen steeds op de fries voor: de vijf wijze en dwaze maagden, de walvisvangst en een jachttafereel. De afhangende kwabmotieven komen in beide streken voor.
Zeer mooi zijn de vaak monumentaal beschilderde en ovale klaptafels. Typisch Amelands zijn de gesneden en beschilderde mangelplanken. Zowel op Ameland als in Leeuwarden (Fries Museum) vindt men een mangelplank met een levensboom in een primitief vaasje met of zonder gesneden motieven en gebeeldhouwde randen. Het zijn ware volkskunstwerkjes!
In het noorden van ons land is de 'Amelander' mangelbak weer populair geworden. Niet als houten bak voor strijkgoed, maar voor sinaasappels of knotten wol. In andere provincies vinden we ook dergelijke bakjes, die, als ze kleiner zijn en zonder handvat of greep, ook wel

Afb. 8 Amelander mangelbak, waarop de allegorische voorstelling 'Hoop, geloof en liefde ' staat afgebeeld. Deze bak is te bezichtigen in het Fries Museum in Leeuwarden en dateert van ± 1700

aardappelbak genoemd worden.
Graag wijzen we u op een heel mooi bakje dat in de Amelander kamer in Leeuwarden in het Fries Museum hangt. Het is een op grijs geschilderd echtpaar, van heel vroege datum, uit 1686. De achterkant van het bakje toont een fruitfestoen dat sterk aan het werk van een Zaanse schilder doet denken (zie afb. 7). Rechts hiervan hangt in het museum een later mangelbakje met een allegorische voorstelling van 'Hoop, Geloof en Liefde'. Er is een heel mooie kleur blauw voor gebruikt met daaroverheen primitieve en bonte bloemslingertjes. Dit werk is onmiskenbaar van een eilandschilder (zie afb. 8). Zoals ook de bekende Amelander wieg met walvisvangst en prachtig ornamentenwerk (zie afb. 6) van een lokale schilder is.
Nu is er op het eiland weer een schilder, Bertus Bakker, die tevens het beroep van vuurtorenwachter uitoefent en die heel serieus iets van dat grote tijdperk van interieurkunst op Ameland doet herleven.
In het boekje *Amelander meubileerkunst* schrijft de heer Deelken dat hij nooit schilders, meubelmakers of ateliers gevonden heeft op Ameland. Als men echter ambachtskunst en volkskunst wil scheiden, kan men rustig aannemen dat kleine voorwerpen of kleinmeubels zoals 'skammels' (soort banken), mangelplankjes en -bakken, dienbladen en (naar Zaans voorbeeld) de hoekkastjes wel op Ameland gemaakt werden. Daarentegen zijn de beddebankjes met jachttaferelen, walvis-

vangst en vooral de zo geliefde voorstelling van de vijf dwaze maagden niet op het eiland gemaakt.
Hier en ook in de Zaanstreek zou een historisch onderzoek goed op zijn plaats zijn, maar op dit gebied is in Nederland nog zo goed als niets verricht.

MARKEN

'Er was eens een sterk volk in het uiterste noorden van Europa. Dat volk bestond uit geharde mannen, jongens, vrouwen en dochters met lange rossigblonde haren. Het was niet zo'n grote groep mensen die om de een of andere reden, misschien twisten met broedervolken, misschien vanwege een zeer bar klimaat uit het hoge Noorwegen kwamen en in schepen met grote drakekoppen op de steven naar het zuiden voeren.
In een veel zachter klimaat bij een zee in het zuiden vestigden ze zich in grote uitgestrekte wouden op de plaats waar nu ongeveer de plaats Drachten ligt.
Er waren echter langs de kusten van de Zuiderzee hoge vloeden, die steeds weer alles overspoelden. Het volk vertrok weer daar vandaan en vestigde zich deze keer voorgoed op een eiland aan de Gouwzee, Marken. De eerste huizen stonden daar op palen. En dat is lang zo gebleven. Eb en vloed hadden vrij spel en ook grote vloeden en ruige orkanen.'
Aldus het 'sprookje' van het ontstaan van Marken, zoals de mensen het daar nu nog vertellen. Er zijn veel punten die ons wijzen, dat de mensen van Marken inderdaad van de Noren afstammen. Als men de kultuur van de Markers (mensen uit Marken) bekijkt (er is hierover vrij veel geschreven) en als men kennis mag maken met de stoere persoonlijkheden die al generaties lang op Marken wonen, komt men tot interessante konklusies. Op Marken treft men nog prachtige oude verhalen aan en er leven nog mensen die de dingen nog echt meemaakten.
Dit is het eiland waar de beroemde rozenschilder Jan Moenis het levenslicht zag. In 1953 stierf deze begenadigde man. Vanaf zijn zesde jaar was hij stokdoof. Veel Markers kunnen nog over hem vertellen: hoe hij in zijn schilderskamer op de werf zat. Was men bij hem op bezoek dan moest 'alle conversasie' op een briefje. Een vriendelijke familie, die aan Jan Moenis verwant is, bezit een meesterwerk van hem: een zeldzaam mooi beschilderde tweedeurs kast. Een trots familiebezit. En een nicht van Jan heeft een paar dozen met een Marker vuurtoren en een Surinaams landschap, want daar is hij korte tijd geweest. Ook las hij Dante en maakte reizen naar Duitsland. Moenis was katoliek op het protestantse Marken en bleef toch een karakteristieke Marker.

Uit oude geschriften uit 1600-1700 blijkt dat de Markers leefden van de haringvangst. Zij voorzagen o.a. de markten van Amsterdam van haring. Zij visten vooral op de Doggersbank bij Schotland. Ook is het bekend dat de Marker mannen op walvisvangst gingen bij Groenland en de Skandinavische kusten.
Er waren omstreeks 1600 al rijke heren op Marken, ook wel Commandeurs genoemd. Zij bezaten schepen en geld en waren de werkgevers van de Marker mensen. In hun interieurs treffen we dan ook de typische zwierige Marker schilderingen van bloemfestoenen en bijbelse voorstellingen aan. Als u echter bedenkt dat er vroeger geweldige branden woedden, soms aangewakkerd door de harde wind, zodat er van de houten huizen slechts rokende puinhopen overbleven, dan begrijpt u dat er

Afb. 9 Marker doos, te bezichtigen in het Openluchtmuseum in Arnhem. De doos dateert van ± 1780

van het héél oude zo goed als niets meer over is.
De bekende 'Elia-kast' in het Zuiderzee Museum in Enkhuizen is een voorbeeld dat deze Marker kast niet in de Zaanstreek thuishoort maar op Marken. Er zijn wel een paar punten van overeenkomst. Natuurlijk zijn er vroeger veel van dergelijke kasten geweest. Waarschijnlijk zijn er in ons land nog maar tien over. Petra Clarijs heeft het in haar boek *Volkskunst der lage landen* (Elsevier, Amsterdam, deel 3) over vier eksemplaren. Dat klopt, maar op het eiland zelf zijn er, behalve de door haar vermelde kast, nog twee kasten in privébezit, die dezelfde zwierige manier van schilderen vertonen als de 'Eliakast'.

Op blz. 90 vindt u een afbeelding van zo'n bloemfestoen met sierlijke anjers die aan een Zwitserse boerenschilder doet denken en aan het uiteinde van het festoen een feestelijke tulp. Het grappige is dat men op Marken in die oude tijden deze toch kostbare meubels bij een eventuele boedelscheiding in tweeën kon delen: een boven- en een onderdeel.
De Assendelfter kasten hadden een rode getande toog met vergulde rozetten van houtsnijwerk als scheiding tussen boven- en onderkant. Bij de Marker kasten werden er als het ware twee dekenkisten op elkaar gezet, waardoor deze vorm ontstond.
De beschilderingen zijn werkelijk meesterlijk. Dit is natuurlijke ambachtskunst

Afb. 10 In Marken geïmporteerde 'Duitse' spaanhouten doos, te bezichtigen in het Openluchtmuseum in Arnhem. De doos dateert van ± 1800

en wel van de allergrootste orde. Bekijkt u in het Zuiderzeemuseum in Enkhuizen maar eens de prachtige scène als Elia met vurige 'paarden en wagenen' ten hemel vaart. Op een ander paneel de profeet die in de woestijn door twee raven gespijzigd wordt.
Nog enige zeer typerende dingen uit de Marker kultuur. Ten eerste de 'bauwedoozen' of 'babbe-kissies', die dienen om delen van de klederdracht in op te bergen. Beschilderd met kasteeltjes en huisjes in groene weiden zijn het mooie houten voorwerpen. De bauwe-doozen zijn, evenals de spaanhouten mutsendozen, van Duitse import. Meestal hebben ze Duitse spreuken en sterk gestileerde bloemen met veel licht en donker naloopwerk en hoppers (zie afb. 10).
Wél afkomstig uit Marken zijn de lepelrekjes (zie afb. 11 en kleurplaat 2), meestal flets-blauw met gele rozen en rode tulpen. Want de Markers houden van bloemen en bonte kleuren. 'Jan Moenis had altijd bloemen in zijn kleine tuintje', zegt mevrouw Zeeman uit de Kerkbuurt, die de rozenschilder goed gekend heeft.
Dan zijn er de prachtige rozenklompen. Wat een vaardigheid had Jan in het schilderen van deze Biedermeierachtige roosjes! Het schilderen van initialen met zilveren letters in Gotische stijl op dames- en herenklompen kostte destijds 15 cent!
We treffen ook schooldozen aan en de stijl van de bloemen en geluksvogeltjes die erop geschilderd zijn doet ons denken aan Friesland. En inderdaad werden deze via De Lemmer naar Marken 'geëxporteerd'. Er zijn dozen bij met prachtig beschilderde deksels. Bij families met schoolgaande kinderen hingen deze dozen aan de muur. Daarin werden de schoolbenodigdheden opgeborgen. Sommige oudere lezers onder u zullen zich uit hun jonge jaren dergelijke 'schoolborden', 'schooldozen' of 'schooltassen' nog wel herinneren. Nu zijn het kostbare familiestukken.
Er zijn weer mensen op Marken die geïnspireerd door het werk van Jan Moenis, hun klompen met de zo prachtige rozen beschilderen (zie kleurplaat 2 en Marker festoen op blz. 90).

JAN MOENIS

'De bloemenschilder van het eiland Marken'
(13 mei 1875 – 24 december 1953)

Was het nog een geluk bij een ongeluk dat, toen de typhusepidemie van 1875 twee kinderen uit het gezin Moenis wegvaagde, het derde kind, de kleine Jan, 'alleen maar doof' werd? Dat alleen maar doof worden was helaas volkomen; in een wereld van stilte moest de pientere jongen verder opgroeien; met één slag was hij anders geworden dan de anderen. Maar nu begon zijn schoolonderwijs rijpe vruchten af te werpen: schrijven en lezen had hij immers geleerd? En lezen is 'horen zonder geluid'! Hij las en las, en toen hij 12, 13 jaar oud geworden was, gaven zijn ouders hem het 'Boek der Boeken' in handen, met de opdracht het geheel te lezen – van Genesis tot Openbaring; en dat deed de jongen.
In het Oude Testament was er veel dat hij niet begreep, maar het Nieuwe las hij als een werkelijkheid, waar hij ten nauwste bij betrokken was. Wie zal weten welke roepstem in de jeugdige Jan Moenis heeft geklonken? Het moet een dringende, luide roepstem zijn geweest, want hoe verlaat anders een jongeling de Calvinistische Kerk zijner vaderen om, alléén, aan te kloppen op de poort van de Katholieke Kerk?
Hij heeft er lang over gedaan. Zelf schrijft hij er, als oud man, over: "Reeds

Afb. 11 Lepelrekje met witte rozen en rode tulpen, geschilderd door Jan Moenis (1875-1953), Marken, te bezichtigen in het Openluchtmuseum in Arnhem

voor mijn 20ste jaar was ik besloten katholiek te worden, maar dacht dat ik dit op Marken niet kon en wilde ik wachten tot ik kans zag elders te gaan wonen."

Maar als 44-jarige en nauw verbonden met de Marker gemeenschap werd Jan Moenis toch eindelijk opgenomen in de R.K. Kerk. Van zichzelf schrijft hij: 'Ik was katholiek voor ik nog een roomsch boek gelezen had of een roomsche kerk van binnen gezien had.' Dat versterkte nog de uitzonderingsplaats van hem, de man tot wie men slechts op een leitje of schrijfblokje kon spreken, de man die niet 'in Marker' gekleed ging op zijn eigen eiland. Op zondagmorgen ging hij alleen, in zijn lange zwarte 'broekkleding' naar Monnikendam voor de mis. 's Zomers met het bootje, 's winters – als de Gouwzee bevroren was – op schaatsen. Niemand vergezelde hem.

Maar toch is men hem altijd als een Marker, als één van ons, blijven beschouwen en daar was dan ook alle reden toe. Want zijn gaven heeft hij volledig in dienst van het kleurrijke Marker volksleven gesteld. Zijn teken- en schildertalent gebruikte hij voor de versiering van meubels, gebruiksvoorwerpen... en klompen. Ja, vooral als klompenschilder was Jan Moenis een onmisbaar lid van de eilandgemeenschap. Ze wisten hem goed te vinden in zijn kleine werkkamertje in het houten huisje op de Wittewerf, nummer 24! De mannen, de vrouwen, de jonge meisjes, de kinderen! Voor de mannen moest hij de naamletters schilderen in witte 'prentletters' of 'trekletters', met een blauw schaduwkantje, en soms met een zilveren lauwerkransje om de letters heen. Op dezelfde wijze beschilderde hij de zwarte daagse klompen voor de vrouwen en meisjes. Dat was behalve mooi ook bijzonder geriefelijk, want bij het betreden van een Marker huis schopt iedereen de klompen uit en laat ze op het stoepje bij de buitendeur staan. Men kan dan aan de namen of naamletters op de klompen zien welke personen in het huis aanwezig zijn.

Wanneer op zondag de mannen op leren schoenen lopen – dat staat heel mooi bij hun zwarte zondagsdracht – dan hebben de vrouwen en meisjes graag heel bont beschilderde 'rozeklompen' bij hun zo bijzonder kleurrijke zondagsdracht. En daarvoor kwamen ze dan vol verwachting bij Jan Moenis. 'Rozeklompen' te hebben was aanvankelijk de grote wens: op een donkergroene ondergrond schilderde hij eerst in gele letters met oranje schaduwkanten naam of beginletters van de naam en daaromheen, in Biedermeyerstijl, bloemen. Karmijnroze en karmijnrode roosjes met blaadjes en behaarde stengels in licht en donker smaragdgroen en sapgroen. De instap-opening van het hout werd eveneens oranje geverfd en daarlangs een cadmiumgele bies. Omdat de Marker rokkendracht voetvrij is, kwamen die prachtige rozenklompen mooi uit.

Maar allengs uitte het vrouwvolk ook andere wensen: Jan Moenis kon van die mooie vijfbladige blauwe bloempjes penselen, nèt vergeet-mij-nietjes in het groot, met allerliefste blaadjes; met een groot roze roosje als hoofdmotief erbij, leek het net een 'poëzie-albumplaatje'. Jan Moenis die een groot liefhebber van kleine bloemetjes was, schilderde ze met innig plezier. Hij was zijn klanten en klantjes graag ter wille. In Januari 1950 schrijft hij in een brief: 'Behalve met roozen en bloemenkransen moet ik de klompen nu ook beschilderen met bonte vlinders, roode papegaaien, en wat men al niet meer bedenkt. Nu houd ik wel van verandering, als het maar mooi blijft.'

'Als het maar mooi blijft'..., dat is inder-

daad kenmerkend voor de instelling van deze volkskunstenaar!
Om de verdienste was het hem niet in de eerste plaats begonnen, voor zijn schilderwerk vroeg hij slechts luttele stuivers: 15 cent voor het schilderen van naam of naamletters op een paar klompen, 40 cent voor twee bloemenkransjes. Maar de vreugde van het werk, die heeft hem, de stokdove vrijgezel, een blijmoedig leven mogelijk gemaakt. Nog in het jaar van zijn dood schrijft hij:
'Wat is het tekenen en schilderen een mooi vak!' De vormenrijkdom is oneindig groot, en ook de kleurenwisseling is onuitputtelijk. Men kan daar levenslang in werken zonder verveling. Voor mij is het beschilderen van klompen, kistjes en schenkbladen een dagelijks werk, waarbij ik vorm en kleur naar verkiezing kan wisselen. De herfst- en wintermaanden zijn voor mij het drukst, daar men hier dan bijna uitsluitend op klompen loopt en de meisjes zijn dol op beschilderde klompen, die bij de kleurige Marker kleding zo goed passen, dat ik er ook plezier in heb.'
En wat heeft hij, behalve die duizenden klompen, al niet voor hen beschilderd: kasten, kinderstoelen, lepelrekjes, theebladen, theebusjes (van sigaretten-tinnetjes, na de oorlog, kappedozen, 'schoolborden' en wàt men nog maar fleurig en feestelijk gemaakt wenste. Door zijn werk was Jan Moenis, in zijn dove afzondering, toch ten nauwste verbonden met de zo bijzonder sterke Marker gemeenschap. Dat moet hem zeer gesterkt hebben in zijn leven. Toch kon hij ook afstand er van nemen. Wanneer hij een beschouwing wijdt aan de Marker Volkskunst schrijft hij: 'Ook het uitsnijden van roosfiguren op klompen gebeurt hier nog vrij veel, er zit goed wat kunstsmaak in die Marker lui, al worden de huizen nu heel anders ingericht door de geheel veranderde omstandigheden.'
Al werkte hij altijd alléén, in zijn zeer kleine kamertje, en al drong geen enkel geluid van de buitenwereld tot hem door, Jan Moenis had een open oog voor wat er om hem heen met Marken gebeurde. 'De volksgeest is veranderd met de afsluiting der Zuiderzee en de bouw van steenen huizen, en de oorlogsgevolgen doen de rest. Een groot aantal mensen vindt nu zijn bestaan aan de wal en brengt van daar andere gedachten mee." Maar hij heeft dat alles aanvaard en er zich nooit tegen gekeerd; was hij ook zelf geen nieuwe wegen gegaan? Die nieuwe wegen hebben hem zelfs héél ver weg gevoerd, in 1922 heeft hij aangemonsterd voor Suriname, waar hij de hevige kleurenpracht van bloemen, vlinders en vogels met eigen ogen wilde aanschouwen. Kende hij ze uit de werken en geschriften van Maria Sybille Merian?
Van lezen hield hij veel en geen inspanning daartoe was hem te groot. In zijn jeugd las hij de drie delen van Dante's Goddelijke Comedie. Dat werk, in sterke mate een 'schouwspel', heeft hem zeer getroffen en, zoals hij zelf schrijft: 'In mijn jonge jaren heb ik Italiaans geleerd en Dante in het oorspronkelijke kunnen lezen. In Italië ben ik nooit geweest.'
Maar van reizen heeft hij veel gehouden: 'Wel ben ik tweemaal naar Keulen geweest om de prachtige domkerk te zien. Ook het Zevengebergte en de stad Aken heb ik vóór de oorlog gezien.'
Toen hij, 73 jaar oud, met een gebroken been in het ziekenhuis moest liggen, las hij daar Prof. Huib Luns' 'Wandelingen in Florence'. Maar nauwelijks weer thuis begon hij weer te schilderen.
'Ik heb na mijn weggaan uit het gasthuis, in Oktober, acht weken lang in het gips gezeten en nu 3 weken geleden is mij het gipsverband afgenomen en ver-

Afb. 12 De Marker schilder Jan Moenis (1875-1953) aan het werk

vangen door een loopverband met beugel. Ik mag nu weer wat lopen en moet over 3 maand weer terugkomen. Waarschijnlijk wordt mij dan de beugel afgenomen. Gelukkig heb ik àl deze tijd geregeld kunnen doorwerken, met mijn been in een kussen op een andere stoel. Ik kan zoo de hele dag aan mijn werktafel zitten, en heb aan werklust evenmin gebrek als aan werk'.

Tot in zijn laatste levensdagen heeft hij deze werklust kunnen botvieren. Nog geen twee maanden voor zijn overlijden is de hier afgebeelde foto genomen: Jan Moenis, uit de vaste hand bezig met het schilderen van naamletters op een klomp. Het kleine tafeltje, waaraan hij altijd zat te werken, is wat onbeholpen gedekt met een kleedje, waarschijnlijk om het voor de fotograaf wat

mooier te maken. Vóór hem zijn penselenpotje, een petroleumlampje op een theestoofje (om wat hoger te staan en dus wat meer licht te verspreiden tijdens het avondwerk) en dan zo'n hoog smal vaasje met bloemetjes. Die had hij gezaaid in het kleine, driehoekige tuintje tussen de vlierboom en het venster. Soms, als na de storm veel bloemknopjes geknakt waren, stond er een heel rijtje van die ouderwetse hoge tuimelvaasjes naast elkaar, elk met één kortstelig bloemetje erin.
Verder zien we nog een Canadees portret van prinses Juliana en prins Bernhard, en tenslotte een ingelijste Man van smarten. Ziedaar... Jan Moenis, in zijn kleine grote wereld. Hij was een voorbeeld van een volkskunstenaar die, door de inzet van zijn gaven voor de gemeenschap – tijdens zijn leven – en nog lang daarna! – kleur en blijheid heeft verschaft aan de bevolking waar hij toe behoorde.
Hoe goed is het, dat er musea zijn om zulk werk te bewaren en te behoeden! Wie in ons Marker huisje komt (in het Openluchtmuseum te Arnhem, J.Z.) ziet bij de ingang in het portaaltje twee paar 'rozenklompen' staan, door Jan Moenis beschilderd. Even verder wordt men getroffen door de kleurige tulpen op een geel lepelrekje, en naast de bedstede zijn bonte rozenslingers te bewonderen op een groene kinderstoel. Alleen tentoongesteld en niet meer aan gebruiksslijtage onderhevig, zullen ze nog heel lang de herinnering levendig kunnen houden aan Jan Moenis, de bloemenschilder van het voormalige eiland Marken.

Hil Bottema

(met welwillende toestemming en dank overgenomen uit *Bijdragen en Mededelingen*, Vriendenkring Openluchtmuseum, Arnhem 1965, nr. 2)

DE ZEEUWSE GEBIEDEN

Wie in Zeeland naar oude beschilderde voorwerpen zoekt moet bij de spaanhouten mutsendozen beginnen. Men vindt ze overal in Zeeuws-Vlaanderen, op Walcheren, Zuid-Beveland en Schouwen. Gelukkig zijn er veel eksemplaren behouden gebleven en mag men konkluderen dat bijna iedere familie in Zeeland dergelijke dozen bezat.
In Cadzand werd de ronde muts erin opgeborgen, die men daar sinds de Napoleontische tijd met een los karkas van buigzaam ijzerdraad om het hoofd droeg. Het hout beschermde de muts tegen vocht en een bepaald blauw papier tegen het vergelen.
In het Zeeuws-Vlaams Streekmuseum in IJzendijke (zeker een bezoekje waard) worden enkele dozen bewaard, die niet uit Duitsland geïmporteerd zijn zoals de meeste dozen. Men kan aannemen dat de eerste dozen uit de Rijnstreek en het Schwarzwald werden geïmporteerd. Later begon men in Gelderland met de fabrikage van spaanhouten dozen, die op Tholen en St. Philipsland beschilderd werden. Hiermee werden goede zaken gedaan. Bijna iedere vrouw liep in klederdracht, waarvan de muts en andere onderdelen in dozen werden opgeborgen. Er zijn ook oude dozen die in andere provincies beschilderd werden.
In het Zeeuws Museum te Middelburg staat op de drachten- en folklore-afdeling een primitief beschilderde kinderstoel met een paardje en een landschapje met een huis en rozen, een echt stukje volkskunst (zie afb. 14).
Meestal denkt men bij het woord cowboy aan de Verenigde Staten. Bij het woord koewachter moet men aan Zeeuws-Vlaanderen denken. Er is zelfs een plaatsje dat Koewacht heet. De knechten die op de uitgestrekte weiden

Afb. 13 en 13a Zeeuwse boerenmutsedozen, te bezichtigen in het Zeeuws Museum in Middelburg. Deze dozen dateren van ± 1820

Afb. 14 en 14a Zeeuwse kinderstoel waarop het deurtje een rozenmotief geschilderd staat. Deze stoel is te bezichtigen in het Zeeuws Museum in Middelburg

de soms aanzienlijke kudden van de hereboer bewaakten, hadden de naam koewachter. Ze waren meestal intern en aten bij de heer aan tafel. Hun bezittingen borgen ze op in de zgn. knechtekisten. De oudste overgebleven kisten zijn met een vale groene caseïneverf geschilderd. Verder zijn er heel deftige, van gewoon vurehout, maar ze zijn dan 'duur' geverfd in mahonie of eiken met vaak initialen of namen erop, bijv. 'Johannes Lessier 1839'. Een enkele keer werd zo'n kist ook als bruidkist gebruikt en beschilderd met bloemetjes in een pot, op vier paneeltjes met een grijsblauwe ondergrond (de stemmige Cadzandse kleur, Zeeuws-Vlaams Streekmuseum).
De kist die u op afb. 15 ziet is gedateerd uit 1831 en het privébezit van een Cadzandse familie (de lengte van de kist is 1,36 m, terwijl hij 58 cm diep en 57 cm hoog is). Men vermoedt dat de beschilderingen van een lokale schilder

Kleurplaat 2

Damesklompen, beschilderd door J. Sikkema in Marker stijl

Marker doos (zie afb. 9)

Lepelrekje beschilderd door Jan Moenis (zie afb. 11)

Afb. 15 Cadzandse knechtenkist, privébezit van een familie in Cadzand. Deze kist dateert van 1831

zijn, gezien de eenvoudige aard van 'de bloemetjes in de pot'.
In het plaatsje Zuidzande maakte omstreeks 1840 een zekere Cornelis Scheijve dekoraties op schouwen. Hij schilderde enorme bloempotten vol gestileerde rozen en eronder de vondst van Mozes door de Egyptische prinses.
In een oud huisje in Hoek bij Terneuzen bevindt zich ook zo'n schouw met een beschilderde muur erboven. Krachtig zijn de bladeren hier met de penseel opgezet in een groenachtig blauw. De bloemen zijn in dezelfde kleur met een grijzige zweem, misschien waren het rouwbloemen, want op de spaandozen zijn we anders gewend. Op Zuid-Beveland vinden we ook zulke schouwen. We kunnen niet zeggen dat Zeeland een bepaalde stijl had. Er mogen dan veel kleine dingetjes in huisvlijt gemaakt zijn, bijv. beschilderde ijzeren kannetjes met scheepjes en bloempjes of hier en daar een gedekoreerd kinderstoeltje (Zeeuws Museum) of kastje, het kwam nooit tot een streekkunst zoals op Ameland, in Hindeloopen of Assendelft.
Wel kennen we in Zeeland de beroemde 'Sterrenkabinetten', grote kasten voorzien van bloemboeketten en sterren van inlegwerk. Hiervoor werden prachtige houtsoorten en parelmoer gebruikt. De ingelegde motieven op deze beroemde Zeeuwse kasten uit de 17e eeuw kwamen tot stand onder buitenlandse invloed en de kasten zelf zijn ook van prachtige houtsoorten gemaakt. Ze sierden de interieurs van de gegoede burgers van Middelburg, Vlissingen en Zierikzee. In de plaats 's Heer Hendrikskinderen woont een schilder, Karel Jacobs, die nog allerlei schilderwerk in oude stijl maakt.

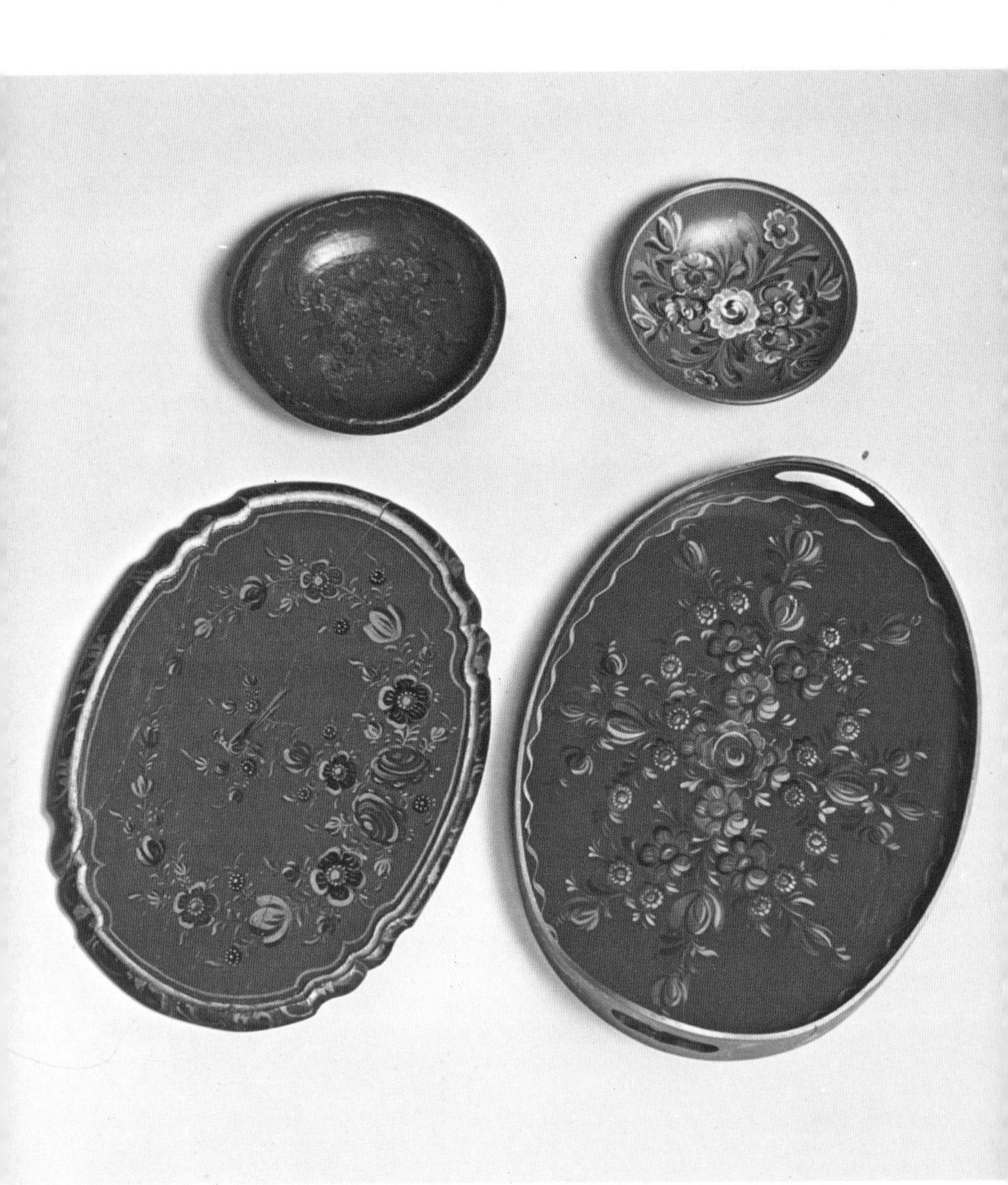

Kleurplaat 3

Linksonder: antiek dienblad in Hindelooper stijl (schilder onbekend)
Rechtsonder: dienblad van de Hindelooper schilder Meine Visser jr.
Linksboven: een nap, beschilderd door Steven Huttinga
Rechtsboven: een nap, beschilderd door Albert Poeze

HINDELOOPEN

Het Hindelooper schilderwerk en het Hindelooper interieur zijn van alle gebieden die we in het kort besproken hebben, het meest gedokumenteerd en bij iedereen ook wel het meest bekend. Al in het jaar 1225 kreeg Hindeloopen stadsrechten. Door zijn gunstige ligging in de oude handelswereld en omdat het intensief deel uitmaakte van deze wereld, mogen we in de 15e en 16e eeuw al spreken van Hindeloopen als een belangrijke handelsplaats. Er was geen echte haven, er was slechts sprake van de rede van Hindeloopen. De winter- en thuishaven voor de 'fluitschepen' (typische Hindelooper driemasters) was Amsterdam.
Het is ook bekend dat Harlingen een 'voorstad' van Londen was! En hieruit spreekt toch wel duidelijk hoe belangrijk de 'Friese hoek' was in die oude tijden.
Er waren hechte verbindingen met Zweden, Noorwegen, Dantzig, Riga (Rusland) en Hamburg. Ook vinden we in de volkenkundige musea in deze plaatsen veel Hindelooper beschilderde voorwerpen, die naar Hindeloopen gebracht werden ter beschildering. Korenwannen, nappen, scheppen en zelfs een slee. Het is natuurlijk ook mogelijk dat een zeevarende die deze schilderkunst machtig was, het ter plekke gemaakt heeft.
Het was een bedrijvig wereldje rond de Baltische landen en op de Oostzee. We lezen dat Hindeloopen, evenals Kampen, in 1368 toetrad tot het Verbond van de Hanzesteden, een unie van koopmanssteden. De Hindeloopers ontvingen van de Zweedse koning het Recht van Koopvaardij op de Oostzee. Schaarse dokumenten en gebruiksvoorwerpen zijn ons uit die tijd overgebleven.

Toen in 1602 de Oostindische Compagnie werd opgericht, braken er voor het stadje Hindeloopen nog betere tijden aan. De Heren van de Oostindische Compagnie maakten namelijk graag gebruik van de diensten van de Hindelooper vrachtvaarders. Met een grote toevloed aan koopwaar uit de Oost werd de Nederlandse Gouden Eeuw ingeluid met een drukke en winstgevende handel. In de boeken en dokumenten over de stad Enkhuizen kunnen we van deze glorietijd lezen. Er begon in ons land dus een ongekend grote welvaart. Dit had natuurlijk ook zijn invloed op het leven in Hindeloopen. Het is bekend dat Hindelooper vrouwen hun echtgenoten in Amsterdam afhaalden en daar hun inkopen deden. Hier vonden de Hindelooper families een grotere keus aan benodigde artikelen dan thuis in hun eigen stadje. Zo werden de Indische sitsen, die voor de 'wentke's' (een soort overmantel van de dracht) gebruikt werden, in Amsterdam gekocht. Later ging men zelfs in Amsterdam deze stoffen maken (De Overtoomse sitsen). Deze vinden we terug in veel gebieden in ons land.
Er wordt vaak beweerd dat de Hindeloopers hun Chinees kraakporselein en hun sitsen alleen maar in Amsterdam betrokken bij hun 'bazen'. Dit is niet waar. Waarom zouden Portugese boeken anders vermelden dat Hindelooper kapiteins de Portugese kolonie Goa (Portugees Voor-Indië) aandeden? Zou het ook mogelijk zijn dat hun schepen zelfs handelswaar meevoerden, die met karavanen naar die Voorindische havens gebracht werden?
Men treft daar koloniale huizen (zelfs paleizen) aan met kleurige stroken op de muren, waarin bloemen met acantuskrullen. Ook vinden we op het Portugese eiland Sao Tomé een 'Fort Olandès', een verdedigingswerk, voor cara-

◀ Afb. 16 Buitenluik van een Hindelooper huis, te bezichtigen in het Openluchtmuseum in Arnhem

▲ Afb. 17 Nog een buitenluik van een Hindelooper huis, te bezichtigen in het Openluchtmuseum in Arnhem

velles die het eiland aandeden. Die grote reizen hadden zeker een onmiskenbare invloed op de dagelijkse gang van zaken in het stadje Hindeloopen. We mogen rustig zeggen dat de Hindeloopers iets groots verricht hebben waardoor hun stad zo'n welvaart genoot. Het waren kloeke, maar ook fijnzinnige en zeer kundige mensen.
Wie denkt dat de Hindelooper een Fries is, heeft ongelijk. Niets is minder waar. Pas na 1810, na de droeve ondergang van bijna de hele vloot in een van de vele oorlogen tegen Engeland, was de eens zo rijke handelsstad gedwongen een vissersplaats te worden en zich tot het achterland, dat een heel andere struktuur en kultuur had, te wenden. Hindeloopen werd een dode stad.

Er is sinds de vroegste tijden in deze plaats geschilderd. Het was erg in trek om veel beschilderde voorwerpen te bezitten. Dat gaf ook iemands stand aan. Er werd met de prachtig gedekoreerde interieurs gepronkt. Hetzelfde vinden we ook in de Zaanstreek en ook wel op Marken.
Veel mensen kennen de hedendaagse produkten uit de Hindelooper nijverheidsfabriekjes. Maar in de oude tijden beheerste het schilderen hun hele architektuur. Zelfs de kozijnen van de ramen in de kamers waren beschilderd. Typisch zijn de klaptafels, de 'flap-aan-de-wand', de kasten op schraagjes (ook wel 'skammel' genoemd). Een heel mooi eksemplaar, gemaakt in 1713, is in het Fries Museum te Leeuwarden te vinden. Verder ook de 'butte's'(zeemanskisten), soms met Neptunus op zijn waterpaarden beschilderd en dan nog de lessenaars waarop de familiebijbel lag. Ook uniek zijn de bedstee-trappen, die aan weerskanten een papegaai vertonen. Verder zijn er veel zeldzame dingen die men alleen maar in het Fries Museum kan aantreffen, zoals de 'sondook-doos', waarin het hoofddeksel van de vrouwendracht werd opgeborgen.
In vroeger tijden is in Hindeloopen ook veel eikehoutsnijwerk gemaakt. Toen in Europa aan het einde van de 17e eeuw een grote opleving kwam van de volksschilderkunst was dat ook het geval in Hindeloopen. Artistiek bezien kwam de Hindelooper schilderkunst toen tot een hoogtepunt dat later niet meer geëvenaard is. Hierbij wordt de lezer een bezoek aanbevolen aan het museum De Hidde Nijlandstichting te Hindeloopen. De Hindelooper vertrekken in het Fries Museum te Leeuwarden zijn ook de moeite waard. Hier kunt u ook duidelijk vaststellen dat de Hinderlooper schilderkunst verschillende stijlen heeft doorlopen, met alle merkwaardige kenmerken van dien.
Het eerste werk ontstond toen men de licht- en schaduweffekten van het houtsnijwerk met verf nabootste op houten panelen. De technische middelen van kleur en verf zijn in die beginperiode heel bescheiden geweest. Waarschijnlijk heeft men eitempera of ook caseïneverven gebruikt. Bij een intensieve studie in Zwitserland en de Elzas vond ik ongeveer hetzelfde. Later had men meer kleuren en meer verfstoffen tot zijn beschikking, zoals bijv. Engels rood en de kleur die men veel in Noord-Holland aantreft: dodekop, een roestkleurige verf. Ook indigo kende men. (De antieke 'bauwedozen' op Marken zijn interessant ter vergelijking).
Een belangrijk schilder, in 1883 in Hindeloopen geboren, is Gerardus Steven Huttinga. Hij heeft drie tijden overbrugd: de opleving van de volkssierkunst rond 1900, de krisis- en oorlogstijd en de naoorlogse opleving. Hij heeft veel waardevols over het oude Hindeloopen gepubliceerd.

Afb. 18 De Hindelooper schilder G.S. Huttinga (1883-1963) aan het werk (foto Leeuwarder Courant)

Er zijn meer, helaas naamloze, schilders uit het verleden, van wie wij de overgebleven meesterwerken in de musea kunnen zien. Hun vaardigheid valt niet in twijfel te trekken, maar Huttinga was een grote onder hen.

Het is bijzonder interessant het werk van hedendaagse Hindelooper schilders te zien en te vergelijken met het oude werk, bijv. het werk van de jonge Meine Visser. Deze talentvolle schilder onderscheidt zich door zeer mooi werk. (zie afb. 19 en kleurplaat 3). Het is of hij de 'hartewens' van Huttinga vervult: een goede bestudering van het oude werk dat in musea bewaard wordt. Op deze 'vaste grond' nieuwe inzichten aanbrengen, daarin blinkt Meine Visser uit. Er zijn van hem prachtige werken van de allereerste vormen van het Hindelooper, de licht-en-donker imitaties, die vroeger in houtsnijwerk in eiken gemaakt werden en daarbij vindt men een prachtig uitgevoerd papegaaimotief. Ook het werk van de Harlinger Albert Poeze is interessant: kleine ronde nappen, klompjes en een grote roomkleurige nap, voorstellende de

Afb. 19 Ovaal doosje van Meine Visser jr., een mooi voorbeeld van het nabootsen met verf van de licht- en schaduweffekten van houtsnijwerk

Maagd der Standvastigheid, ook zeer volkskunstig gemaakt, ver van alle massawerk! De vergelijking van zijn nappen met antieke nappen is frappant, zie kleurplaat 3.

Treft u ergens werk aan met de signering K.P., dan is dat van de Menaldumse Klaas Postuma. Hij werkt traditioneel, met zeer fijn 'hop- of slawerk' en contouren in oudgoud.

Tenslotte noemen we als voorbeeld het werk van een gevorderde amateur in Rotterdam, Mevrouw Reichenfeld, die het als vrijetijdsbesteding en niet als broodwinning doet.

Bekijk ook kleurplaat 3 nauwkeurig, waarop een zeer oud blaadje te zien is, dat uit elkaar dreigt te vallen en dat een veel ruigere schilderstrant toont met een snelle penseeltoets. Zeer mooie fondkleur! Het laatste woord over Hindelooper schilderwerk is hierbij niet gezegd. Het loont de moeite om zelf een en ander in de musea te bestuderen en uw licht daar eens op te steken.

U moet niet verwachten dat u nu een spoedkursus in Hindelooper schilderwerk in handen heeft. Ik zou u aanraden het toch eens te proberen en u zult merken dat de motieven en speciaal de bloemetjes veel meer gestileerd zijn dan het werk uit de andere streken. U vindt op blz. 95 en 97 niet alledaags voorkomende motieven van een kinderstoel, dienblad en een paneelvulling van een bijbellessenaar.

Graag wijs ik u nog op het feit dat in oude tijden in de hele zuidwesthoek van Friesland geschilderd werd. We kennen Workumse en Molkwerumse kasten, waarvan we hier een mooi voorbeeld geven (afb. 20, Molkwerumse kast op schraagjes, ± 1730).

Afb. 20 Evangelistenkast uit Molkwerkum, te bezichtigen in het Fries Museum in Leeuwarden. Deze kast dateert van ± 1730

Afb. 21 Detail van de kast van afb. 20, waarop een acantuskrul, geluksvogel, kweeperen en bloesem staan afgebeeld

Afb. 22 Houten bedsteewand van een Staphorster interieur (±1876), waarop gestileerde vazen met boerenrozen staan afgebeeld. Opmerkelijk zijn ook de paarse tegels, die de architektuur van het huis aksentueren. Dit is te bezichtigen in het Openluchtmuseum in Arnhem

STAPHORST

Tussen Zwolle en Meppel ligt de plaats Staphorst, een voormalige veenkolonie, dat zeer sterk van andere gebieden in ons land verschilt door zijn levensstijl en opvattingen.
Zeer interessant is het interieur van Staphorst, ook dat van het nabij gelegen Rouveen.

De laatste tijd is het Staphorster stipwerk weer erg populair geworden. Toch is dit stipwerk minder oud dan men zou denken. Wie in Staphorst een voor bezoekers opengestelde boerderij bezoekt, zou niet onmiddellijk denken dat deze vorm van boerderij eigenlijk het Twentse 'losse hoes' als stamvader heeft. Binnen is een ingetogen en heel behagelijke atmosfeer merkbaar. Warm aandoende kleuren, de tafels zijn rood met een groene rand, de Overijsselse knopstoelen zijn ook rood geverfd. De vuurplaats (de schouw) is eigenlijk een huisje op zich, zeker 2 m diep, in het midden het vuurgat dat oorspronkelijk voor een open vuur bedoeld was en waar nu een ronde en aan de onderkant platte buiskachel staat, waar de familie 's avonds omheen zat.

Een vuurplaats met schouw en open vuur is nog te zien in de Staphorster boerderij van het Arnhems' Openluchtmuseum.

Boven deze schouw valt ook de 'wijze' levensspreuk op, omgeven door guirlandes van verboerste rozen. Deze Staphorster rozenschilderingen hebben de Staphorsters geleerd van een Duitser, die begin 1800 naar Staphorst emigreerde. Deze Duitser was namelijk een dekoratieschilder (Bauernmaler).

Naast de bedsteedeuren, alsook op de deuren die naar de opkamer en de stallen leiden, zijn ook zwierig geschilderde boeketten of manden met rozen geschilderd.

Typisch zijn de tegels en de dekoratieve wijze waarop ze aangebracht zijn. Ze zijn aangebracht langs de plinten, deuren, ramen en zolder en ze 'onderstrepen' als het ware de architektuur van het interieur.

We zien ook een beschilderde trommel-voor-lekkers, die zo hoog hangt dat de kinderen er niet bij kunnen. Deze vertoont een rand van roosjes op oudblauw en een landschapje met huisjes. Het dubbele valletje van bonte stof dat in de schouw hangt vormt een uitstekende aanvulling voor de kamer.

De grote 'kamenetten' (kasten) staan op een kleine verhoging, met geglazuurde tegels bedekt, zodat de voetjes van het 'kamenet' droog bleven als er geschrobd werd.

Tradities zijn er in Staphorst te over. Men kan het alleen maar bewonderen dat een groep als deze mensen deze tradities ook trachten te behouden. Men hoort vaak zeggen dat de Staphorsters zo'n gesloten gemeenschap vormen. Bedenk dan wel dat bij voorbeeld groepen mensen uit plaatsen als Elspeet, Nijkerk en Huizen vergelijkbaar waren, maar dat hiervan niets meer over is.

Het is de wil van de mensen ter plaatse hun gebruiken en bestaande tradities in stand te houden. De Staphorster gemeenschap is de laatste decennia meer en meer opengebroken, omdat de industriële opmars niet tegen te houden is. Ook de gestegen levenskosten en andere faktoren spelen hierbij een rol.

Eén ding zullen de Staphorsters zeker niet verliezen: hun liefde voor vrolijke en bonte heldere kleuren. Mij werd in Staphorst verteld dat het stipwerk eigenlijk uit de tijd na de oorlog stamt. Het eerst werden de zomerse satijnen mutsjes van de jonge meisjes met stipjes versierd. De desgevraagde persoon legde mij uit dat ook de geestelijkheid hieraan zijn goedkeuring had gegeven. We mogen dus aannemen dat vóór deze tijd de meisjes met saaie, zwarte satijnen mutsjes getooid waren. Later ging men ertoe over om allerlei voorwerpen als kinderstoelen, krukjes, stoofjes e.d. te bestippelen. Het is een heel kleurig iets en het geeft Staphorst een aparte fleur.

▲ Afb. 23 Deurpaneel van een Staphorster boerderij (± 1830), waarop boerenrozen staan afgebeeld. Dit paneel is te bezichtigen in het Openluchtmuseum in Arnhem

Afb. 24 Staphorster beddeschot met geschilderde en gestippelde 'appelbloesem'. Dit beddeschot dateert van ± 1780-1800 en is in het privébezit van K. Brakke, Staphorst ▶

Materialen en gereedschappen

Om goed werk te kunnen leveren moeten we over goede materialen en gereedschappen beschikken. We geven hierbij een lijst van benodigdheden, die bij de meeste warenhuizen, kantoorboekhandels, hobbyhuizen, (kunst) schilderswinkels e.d. verkrijgbaar zijn. zijn.

- **1 set acrylverf** voor volkssierkunst (ook wel dispersie of acrylaat genoemd) waarin 10 basiskleuren zitten, te weten: 1. oker, 2. boerengeel (cadmium), 3. oud-blauw, 4. middel-groen, 5. rood, 6. crème-wit, 7. zwart, 8. donker-bruin, 9. spektraal grijs (ook wel te vervangen door schaduwkleur of gebrande omber) en 10. rood-bruin (roest)
- of: **1 set olieverf** waarin dezelfde 10 basiskleuren zitten. U kunt dit assortiment olieverf uitbreiden met Pruisisch blauw en (donker) dennengroen.
- voor acrylverf gebruikt u een flesje **medium voor acrylverf.** Dit is een vloeistof waardoor de verf makkelijker uitstrijkt en er transparanter mee te werken valt
- voor olieverf een flesje **medium 'quick dry'** of een flesje **medium** en een flesje **sikkatief** (de Courtrai) om de verf sneller te laten drogen
- tenminste **3 penselen.** We gebruiken alleen *goede marterharen* penselen en dit *moet* er dan ook opstaan. Anders raakt u straks tijdens het werken teleurgesteld over het resultaat. Meestal staat er op de goede penselen in het Engels aangegeven: 'pure red sable hair' of (het iets duurdere) 'Kolinsky hair'.
We hebben nodig: penselen nr. 4, 6 en 8 van serie 110. Kijk ook even of er wel *beschermkapjes* op de penselen zitten. Deze voorkomen dat de haren beschadigd worden als de penselen vervoerd of opgeborgen worden
- 1 bus gewone **grondverf** (overal verkrijgbaar) voor het gronderen (in de grondverf zetten) van houten voorwerpen, kleinmeubels en ook grotere voorwerpen
- gewoon (hout) **schuurpapier** in de kwaliteiten: heel fijn, middel en iets grover
- **1 of 2 platte kwasten** van Chinees varkenshaar voor het opbrengen van een achtergrond- of fondkleur op de voorwerpen (bijv. oud-bruin, groen, oker of blauw e.d.)
- **kalkeerpapier**, patronenpapier of vrij grote velletjes boterhampapier. Deze papiersoorten bewijzen goede diensten als we motieven, soms eeuwenoude, over willen nemen
- **ruitjespapier** voor het vergroten of verkleinen van motieven
- een paar pijpjes **wit of donker krijt** voor het kalkeren
- een **vaatdoekje van wafelstof** om een te nat penseel aan af te deppen
- **2 grote jampotten** (of andere glazen potten) om de kwasten in uit te spoelen
- **water** (voor de acrylverf) en **kunstterpentijn** of **terpentine** (voor de olieverf)
- **1 of 2 oude borden** (van steengoed of aardewerk), die we als palet gebruiken. Een aardewerken bord heeft het voordeel dat het lange tijd koud blijft, zodat de acrylverf niet snel uitdroogt

Afb. 25 Mangelbak, beschilderd met Cadzander knechtenboeket

- een beetje **vaseline** om futloos geworden penselen te herstellen
- **te beschilderen voorwerpen** van bijv. blank hout, oude voorwerpen die opgeknapt moeten worden, metalen melkbussen e.d.
- **zijdeglansvernis** of **matte vernis** om de voorwerpen na het schilderen af te lakken
- **korrelbeits** waarvan de onopgeloste korreltjes een leuk effekt geven
- **afbijtmiddel** of **soda** om oude schilferende verflagen schoon te maken of te verwijderen
- **patinavloeistof** om de voorwerpen te patineren
- **kneedbaar hout**, **putty** of **plamuur** om eventuele gaatjes op te vullen
- **zachte lappen** van wollen of katoenen tricot voor het patineren (niet pluizende stof)

De juiste werkruimte

Mocht u aan deze prachtige vrijetijdsbesteding 'verknocht' raken, dan raad ik u aan thuis een hoek van een kamer hiervoor in te richten, waar u al uw materiaal, uw motieven-kollektie, houten of andere te beschilderen voorwerpen kunt opbergen. Enkele voorwaarden zijn bij het inrichten van de werkruimte van belang.

• Zorg dat de kamer zeker niet warmer is dan 20° C.
• Het beste werkt u bij *daglicht*. Zorg dat het licht u 'in de hand' schijnt. Als het licht van de verkeerde kant komt werpt uw hand een schaduw op uw werk en kunt u niet goed werken.
• Ook moet u het vertrek waarin u werkt heel goed stofvrij houden, grondig afstoffen en stofzuigen, omdat er anders veel stofdeeltjes in uw verf, en wat erger is, in de lak terecht komen. Let goed op dat u geen harende of pluizige kledingstukken draagt tijdens het werken, vooral als een pas gevernist werkstuk ligt te drogen.
• Wilt u toch 's avonds werken, dan raad ik u aan te werken bij een argentalamp-met-venstertje. Deze lampen geven 30% meer 'wit' licht en zijn aan te bevelen boven neonlicht. De samenstelling van kunstlicht is heel anders dan dat van daglicht, waardoor de kleuren heel anders lijken.
• Zorg steeds dat u een goede stoel heeft waarop u zit te werken. Makkelijk zitten is ook een voorwaarde voor goed werk.
• Werk bij voorkeur aan een grote en ruime tafel, waar u genoeg 'armslag' en ruimte heeft om alle spullen uit te stallen: verfpotjes, spoelpotten, een vochtige of goed absorberende lap, verfbord, bekers en penselen.
• Neem een goede zithouding aan. U moet uw handen zo houden dat ze los en vrij kunnen bewegen. Uw 'werk'-hand moet kunnen glijden, maar ook goed kunnen steunen. Gun uw armen van tijd tot tijd wat rust als u merkt dat u erg ingespannen bezig bent.
• Beschilderde panelen, doosjes, e.d. legt u altijd op enkele lege potten te drogen. De voorwerpen drogen dan sneller en beter.
• Na het werk goed uw penselen inspekteren en grondig uitspoelen, zie blz. 50. Vervolgens rechtop staand met de haren naar boven wegzetten in bijv. een glas! Bij vervoer van de penselen de polystyreen beschermhoesjes gebruiken.
• Gebruik niet teveel krijt bij het kalkeren.

Afb. 26 Hindelooper brievenbakje (linksboven), dekoratief plankje (linksonder) en stokbroodbak (rechts) ▶

Wie als
vriend hier
binnengaat
Is nooit te
vroeg maar
steeds te laat

Algemene richtlijnen

Hebt u een nieuw kuipje, eierdopje, plankje of spanen doosje, dan kunt u meestal volstaan dit een achtergrondkleur (of fondkleur) te geven met lakverf; of beter met twee dunne laagjes acryl muurverf (let op de lichtechtheid). Daarop kunt u dan de motiefjes schilderen.
Op lakverf alleen met olieverf, op acrylverf dus met de set acrylverf voor volkssierkunst schilderen.
U moet voorwerpen die u intensief wilt gaan gebruiken, bijv. een dienblad of een houten beauty-case, eerst in de gewone grondverf zetten. Na een nacht te hebben gedroogd, de fondkleur schilderen (bijv. oudgroen). Dan hierop de motieven schilderen als de fondkleur droog is.
Als u een oud meubeltje bezit, bijv. eer vurehoutenkastje, een lade- of dienstbodenkastje, een oude schilferende mangelbak, moet u meestal toegeven dat het ding er vies en waardeloos uitziet. Het beste is dit eerst met een oplossing van afbijtpoeder of met een sodaoplossing af te wassen. In het ergste geval moet u het 'afbijten'. Volg goed de gebruiksaanwijzing van het pakje afbijtmiddel op en trek plastic handschoenen aan. Dit hoeft u natuurlijk alleen te doen bij zwaar beschadigd lakwerk of als u de hele verflaag wilt verwijderen.
Vindt u echter dat het stuk iets van zijn oudheid moet houden, dan kunt u het goed met grof schuurpapier schuren, daarna met fijn. Bijt het dan niet af tot op het blanke hout. Na het schuren zet u het dun in de grondverf, zodat de oude verflagen er nog doorheen schemeren. Dit geeft later een mooi effekt. Is dit droog, dan de fondkleur opschilderen, bijv. oudgroen. Zijn alle motieven erop geschilderd, dan krijgt u een bijzonder mooi effekt door te patineren op het enigszins oneffen oppervlak. Patineren of patina aanbrengen is de 'make-up' voor het werkstuk; het gaat er niet alleen ouder uitzien, maar het geeft het beschilderde voorwerp meer harmonie en doet de motieven zachter naar voren komen. Natuurlijk met mate en voorzichtig met de patina vloeistof omgaan. Ik kom hier nog op terug (zie blz. 73).
Als de patina goed droog is (het is belangrijk welke u gebruikt), kunt u het voorwerp met transparante zijdeglansvernis 'aflakken'. Twee dunne lagen vernis over elkaar geven een mooi effekt. Er is ook heel matte vernis verkrijgbaar. Dit vormt een goede bescherming voor het beschilderde meubel of voorwerp.
Op kleine spanen doosjes, lijsten van verjaardagskalenders, enz. kunt u volstaan met een snellak. Ook weer het mooiste effekt: twee dunne laagjes over elkaar. Elke laag goed laten drogen vóór u een volgende laag aanbrengt. Als u grote kasten wilt aflakken moet u beoordelen in welke ruimte ze komen en in hoeverre ze in de kamer aan slijtage onderhevig zijn. Meestal moet u wel

Kleurplaat 4
Kleine gebruiksvoorwerpen, beschilderd ▶
met Hindelooper motieven

3 à 4 lagen aanbrengen. Elke laag steeds goed laten drogen. In sommige gevallen met zeer fijn schuurpapier schuren en dan pas de definitieve laag opbrengen. Denk er ook aan dat bij grotere meubels, bijv. een kast of een te beschilderen bed, na het reinigen, afbijten of afschuren, beschadigingen in hout of lak weer te voorschijn komen. Houtwormgaatjes niet afdekken, dat staat lelijk. De patina en het aflakken vult ze wel op. Heel grote gaten met kneedbaar hout, putty of plamuur verbeteren. Laten drogen en dan een beetje grondverf erop aanbrengen. Stel alles in het werk om opgeknapte plekken weer geheel onzichtbaar te maken, niets is lelijker dan een voorwerp of meubel waar de plamuur doorheen schemert.
Werk verder ordelijk en schoon. Het zal u veel hoofdbrekens besparen! Schilder de motieven altijd op een glad, effen en vooral schoon oppervlak.
Nog een tip: sommige houtsoorten, die erg veel grondverf opzuigen, kunt u twee keer dunnetjes in de grondverf zetten. De potten gewone grondverf altijd goed oproeren.
Als een laag goed droog is altijd eerst even schuren vóór de volgende laag wordt aangebracht. Mocht u de fondkleur toch over een niet bevredigende onderlaag gestreken hebben, dan kunt u de fondkleur twee keer aanbrengen. En weer schuren.
Naast de al genoemde patina is er ook een zogenaamde korrelbeits in de handel. Dit zijn in spiritus oplosbare beitskorrels die niet helemaal oplossen. Ze geven een heel leuk effekt aan een knechtekist, een reiskoffer of een beschilderde broodspinde (kast). Deze korrelbeits werd meer in de Duitstalige gebieden gebruikt dan in het oude Assendelft of Hindeloopen.
Houten sierborden, mangelbakken of dienbladen voor de sier, die meestal tegen de muur gezet of gehangen worden, kunt u twee lagen goede, lichtechte muurverf geven. Bij dit type van acrylverf moet u wel 3 uur wachten tussen de lagen tot ze goed droog zijn. Niet vergeten te schuren met 'fijn' schuurpapier. Nu alles klaar en goed voorbereid is, kunnen we aan het werk.

Kleurplaat 5
Liefdesboeketje in Assendelfter stijl geschilderd. De rechterkant wordt 'nagelopen'.

Praktische handleiding

Vóór we kunnen gaan schilderen zullen we eerst de verschillende technieken moeten leren beheersen.

Deze technieken zijn:

- **het sleepwerk**
- **de 'hoppertechniek' of het 'slaan'**
- **de vultechniek**
- **de nalooptechniek.**

Voor deze oefeningen gebruiken we bij voorkeur een goed penseel van zuiver marterhaar, nr. 8 serie 110. Deze marterharen penselen, evenals trouwens alle gebruikte penselen, moeten na het werken heel goed uitgespoeld worden volgens de 'peper en zout' metode, zie afb. 27. Hieronder verstaan we dat we de haren van het penseel vlak bij de metalen bus tussen duim en wijsvinger pakken en, terwijl we het penseel tussen de vingers rollen, uitknijpen. Spoel een penseel nooit of te nimmer met warm water uit, omdat dierlijk haar zijn natuurlijke vet dan verliest. De penselen met de haren omhoog in een pot wegzetten en als de haren helemaal droog zijn kan er een beschermhuls over geschoven worden.
Futloos geworden penselen kunnen hersteld worden door een beetje vaseline in de haren te masseren.
Vóór we gaan werken wordt het penseel ingedoopt in een bakje met water. Doop nu voorzichtig de punt van het penseel in de verf. De verf moet de dikte van ongeklopte room hebben. Is dit niet het geval, dan moet de verf 'op konditie' geroerd worden, d.w.z. voeg een theelepeltje water toe en roer de verf goed door. Voor olieverf wordt uiteraard geen water, maar schildersmedium en sikkatief toegevoegd.
Onder een matig gevuld penseel verstaan we dat slechts de helft van het penseel ingedoopt wordt. Om het penseel helemaal te vullen wordt het tot aan het metalen busje ingedoopt.
Om de haren van het penseel zit dan a.h.w. een 'jasje' van verf. De verf moet nu gelijkmatig in de haren verdeeld worden. Dit gaat als volgt: strijk het penseel op een oud bord heen en weer, van links naar rechts. De verf verdeelt zich nu gelijkmatig in de haren. Dan nogmaals de punt van het penseel indopen. Met een dergelijk penseel kunt u in één keer grote bladeren opzetten. We noemen dit een goed gevuld penseel.
Wanneer u vervolgens de punt van het penseel in een tweede kleur doopt (zie afb. 32) dan kunt u hiermee erg mooie twee kleureneffekten krijgen zoals in de meeste werkstukken te zien is.
Aan de hand van een aantal voorbeelden zullen we u nu de technieken laten zien. U doet er goed aan deze grondig te oefenen vóór u aan een werkstuk begint. Naast de tekeningen staan korte duidelijke teksten, waaruit u op kunt maken hoe u het penseel moet vasthouden, hoeveel verf er aan uw penseel moet zitten en hoeveel druk u uit moet oefenen om het gewenste resultaat te krijgen.

Afb. 27 De 'peper en zout' methode om een penseel goed schoon te maken (rechts)

Afb. 28 Beschilderde pronkemmer met als motief een Cadzander knechtenboeket en een Assendelfter stoofje (onder)

De penseelvoering

Al naar gelang de schildertechniek die we gaan gebruiken, moeten we het penseel op een bepaalde manier vasthouden.
Hierna treft u een aantal voorbeelden hiervan aan, waarop duidelijk te zien is waarom een bepaalde penseelvoering gebruikt wordt om een bepaald effekt te krijgen.
Het beste kunt u eerst oefenen op wit tekenpapier of fotokarton met acrylverf en penseel nr. 7 of 8, serie 110.

Afb. 29 Penseel in vertikale stand om de contouren van bijv. bloemen aan te geven. Alleen de punt van het penseel raakt het papier (*sleepwerk*)

Afb. 29a

Afb. 30 Penseel in vertikale stand, waarbij de haren op het papier gedrukt worden. Op deze manier kunnen bloemstelen en bloemkelken geschilderd worden (*sleepwerk*)

Afb. 31 Penseel in half horizontale stand, waarbij de haren ook op het papier gedrukt worden. Zo kunnen brede vlakken als bijv. bloembladeren geschilderd worden (*sleepwerk*)

Afb. 31a

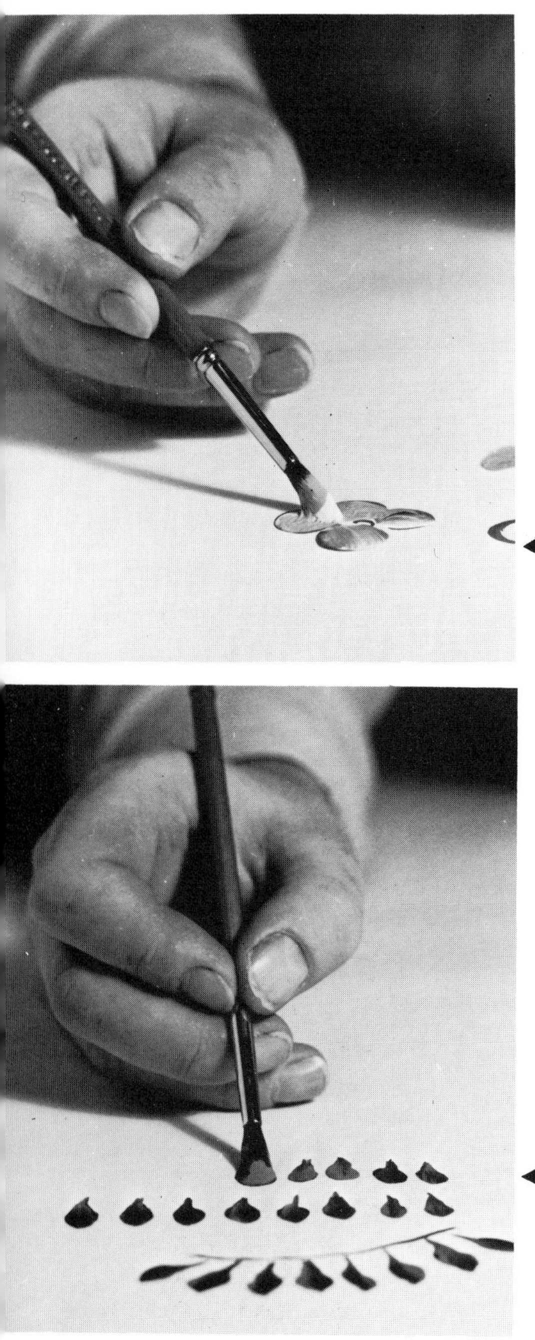

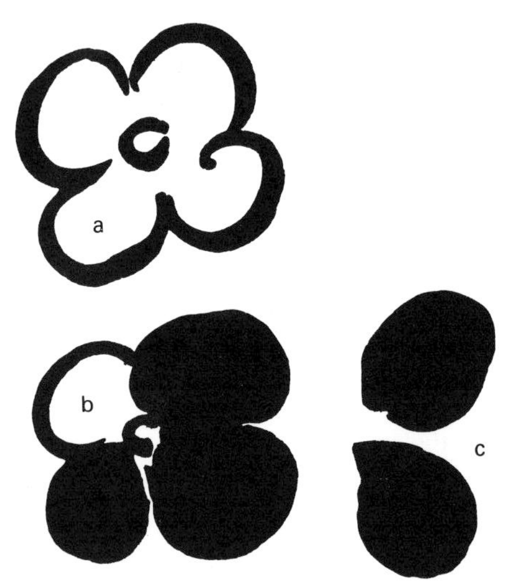

◀ Afb. 32 Penseel in half horizontale stand. (N.B. aan de punt van het penseel zit een tweede kleur verf.) Deze penseelvoering voldoet goed bij het opvullen van bijv. bloembladeren (*vulwerk*)

▲
Afb. 32a Contouren aangeven met het penseel in vertikale stand

▲▲
Afb. 32b en 32c De bladeren opvullen met het penseel in half horizontale stand

◀ Afb. 33 Penseel in half horizontale stand met het penseel naar u toe. De haren worden plat op het papier geduwd en dan met een 'trekkende' beweging naar u toe gehaald. Verminder dan de druk op het penseel, zodat de streek eindigt in een puntje. Dit is de karakteristieke penseelvoering voor het *trekwerk*

De verschillende schildertechnieken

Hieronder volgen een aantal oefeningen van de verschillende schildertechnieken. Het beste is ook deze eerst goed te oefenen op wit tekenpapier of fotokarton voor u aan het schilderen van motieven op bijv. houten voorwerpen kunt beginnen. Gebruik hiervoor ook penseel nr. 7 of 8, serie 110.

Deze techniek wordt vooral gebruikt voor het schilderen van ranken, stelen en bloemen.

Houd er wel rekening mee, dat de hierna afgebeelde oefeningen op ca. de helft van de ware grootte gedrukt zijn.

SLEEPWERK

Onder sleepwerk verstaan we de techniek waarbij u het penseel van u af beweegt en de penseelstreek laat eindigen in een puntje. De penseelharen glijden onder lichte druk over het vlak en het penseel wordt in half horizontale stand gehouden (zie afb. 31).

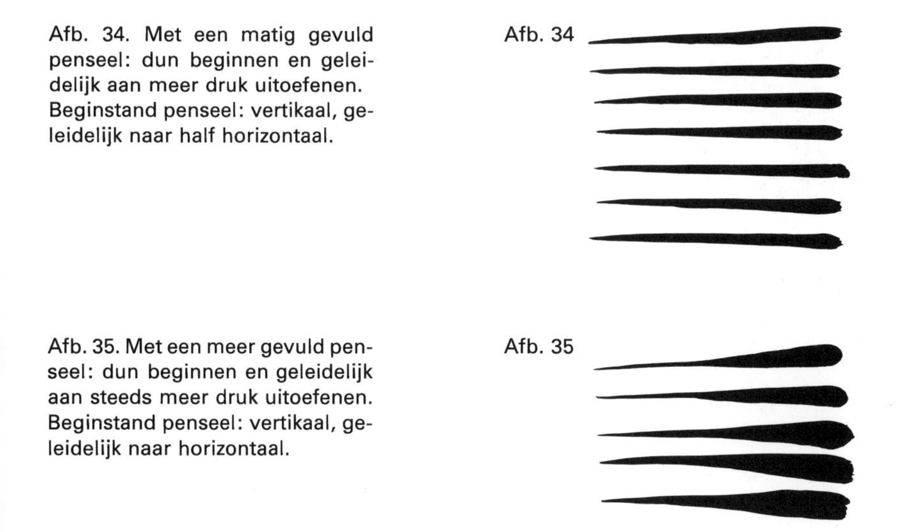

Afb. 34. Met een matig gevuld penseel: dun beginnen en geleidelijk aan meer druk uitoefenen. Beginstand penseel: vertikaal, geleidelijk naar half horizontaal.

Afb. 35. Met een meer gevuld penseel: dun beginnen en geleidelijk aan steeds meer druk uitoefenen. Beginstand penseel: vertikaal, geleidelijk naar horizontaal.

Afb. 36. Met een helemaal gevuld penseel: dun beginnen en dan geleidelijk aan zoveel druk uitoefenen, dat de volledige kapaciteit van de haren van het penseel benut worden.
Beginstand penseel: vertikaal. Steeds meer druk uitoefenen en het penseel vertikaal houden.

Afb. 37. Met een helemaal gevuld penseel: dun beginnen, geleidelijk aan meer druk uitoefenen. Dan na het breedste punt druk afnemen. Beginstand penseel: vertikaal, steeds meer druk uitoefenen terwijl het penseel vertikaal wordt gehouden.
Druk afnemen en eindigen met het penseel vertikaal in een puntje.

Afb. 38. Oefening van sleepwerk, waarbij het belangrijk is dat van onderen naar boven gewerkt wordt. Bij de steel niet, bij de bladeren wel op de dikte van de penseelstreek letten door meer of minder druk uit te oefenen.
Penseelstand: half horizontaal, met helemaal gevuld (vol) penseel werken.

Afb. 39. Hetzelfde als bij afb. 38, maar met een matig gevuld (halfvol) penseel.

Afb. 40. De 'hoppertjes', van links naar rechts werken. De punten niet uitslepen, maar het penseel op het papier zetten en snel weer afhalen, zodat een korte, maar krachtige streek ontstaat, waarbij u steeds een lichte druk op uw penseel moet uitoefenen. Met vol penseel werken.

Afb. 41. Hetzelfde als bij afb. 40, maar met een halfvol penseel gewerkt.

Afb. 42. De 'ribbenkast' oefening. Dit is nodig om de hand te oefenen. Dit zijn sleepbogen die van onderen naar boven gewerkt worden en die boven iets dikker uitlopen dan onder.
Penseelstand: half horizontaal, met vol penseel werken.

Afb. 43. Een bloemmotief, dat helemaal volgens de sleepwerktechniek in zijn verschillende facetten gemaakt kan worden.
a. lange hoppers met punt
b. gewone sleepoefening in een bepaalde vorm
c. volgens de ribbenkast in bepaalde vorm

Allerlei motieven in sleepwerk.
Afb. 44a. Middenrif met één sleep te maken
b. met twee hoppers de bladcontour aangeven
c. korte hoppers (vulling)
Afb. 45a. Blad gemaakt van korte hoppers
b. blad gemaakt van lange hoppers
c. eikeblad met golvende sleep

Afb. 46. Blad met drie verbonden slepen
Afb. 47. Fantasieblad in sleepwerk.

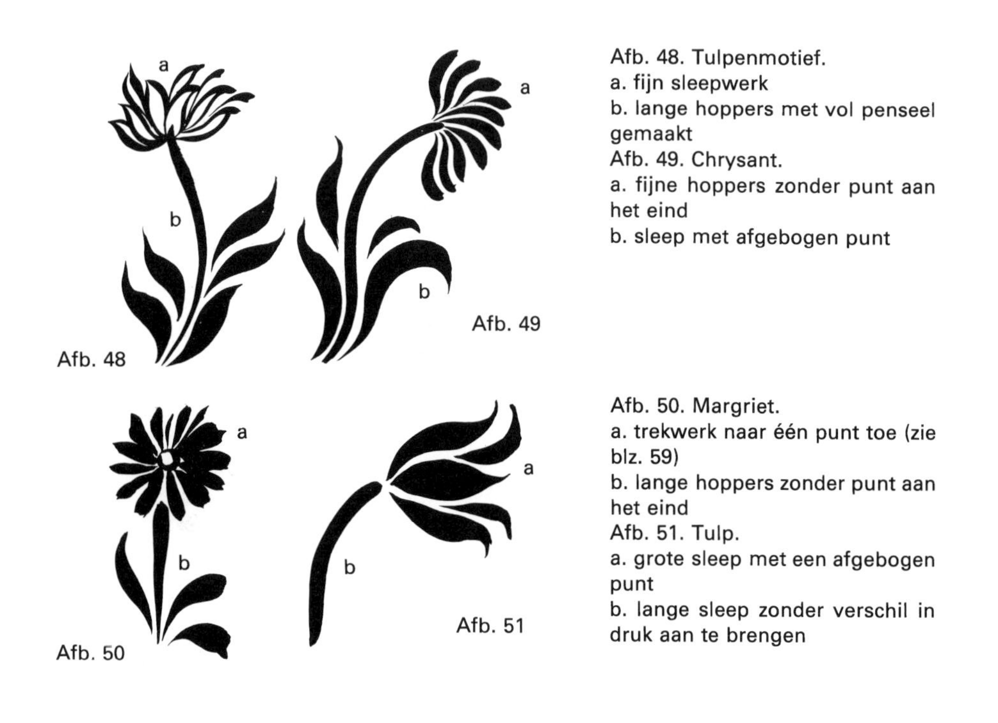

Afb. 48. Tulpenmotief.
a. fijn sleepwerk
b. lange hoppers met vol penseel gemaakt
Afb. 49. Chrysant.
a. fijne hoppers zonder punt aan het eind
b. sleep met afgebogen punt

Afb. 50. Margriet.
a. trekwerk naar één punt toe (zie blz. 59)
b. lange hoppers zonder punt aan het eind
Afb. 51. Tulp.
a. grote sleep met een afgebogen punt
b. lange sleep zonder verschil in druk aan te brengen

TREKWERK

Trekwerk is een techniek waarbij u het penseel naar u toetrekt en de streek laat eindigen in een puntje (zie afb. 33). Het wordt op dezelfde manier gebruikt als sleepwerk, maar vooral om kleinere motieven of randen aan te brengen, die een dekoratieve werking moeten hebben.

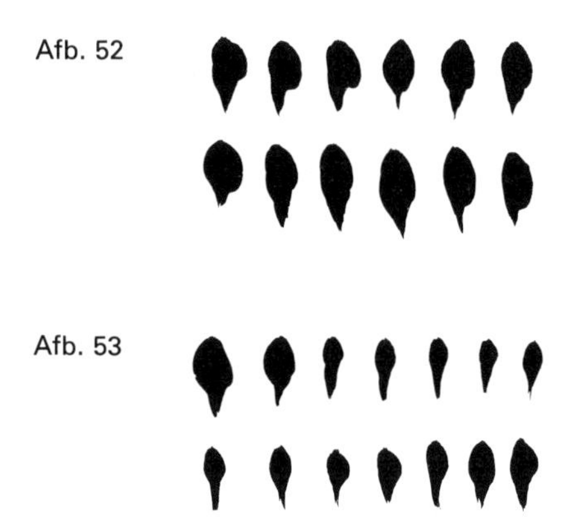

Afb. 52. Met een gevuld penseel. Penseelstand: vertikaal, waarbij het penseel eerst stevig op het papier wordt gedrukt, zodat een dik beginpunt ontstaat. Dan laat u de druk afnemen en trekt het penseel in een dun puntje naar onderen.

Afb. 53. Hetzelfde als bij afb. 52, maar met een halfvol penseel gewerkt.

Afb. 54. Hetzelfde als bij afb. 52, maar met een matig gevuld penseel.

Afb. 55. Hetzelfde als bij afb. 52, maar met heel weinig verf aan het penseel.

Bloem- en bladmotieven in trekwerk, waarbij het penseel naar één punt wordt getrokken.
Afb. 56. Bloemmotief, waarbij de bladeren zijn gemaakt van trekwerk naar één punt (het hart van de bloem) toe.
Afb. 57 en 58. Bladmotieven, waarbij de linkerkant (a) uit trekwerk, de rechterkant (b) uit sleepwerk bestaat.

Afb. 59. Dekoratieve bladrand, waarbij de bladeren helemaal van trekwerk zijn gemaakt.

Afb. 60 en 61. Dekoratieve bladranden, waarbij de linkerkant (a) uit trekwerk, de rechterkant (b) uit sleepwerk bestaat.
Afb. 60 is gewerkt met een halfvol penseel, afb. 61 met een goed gevuld penseel.

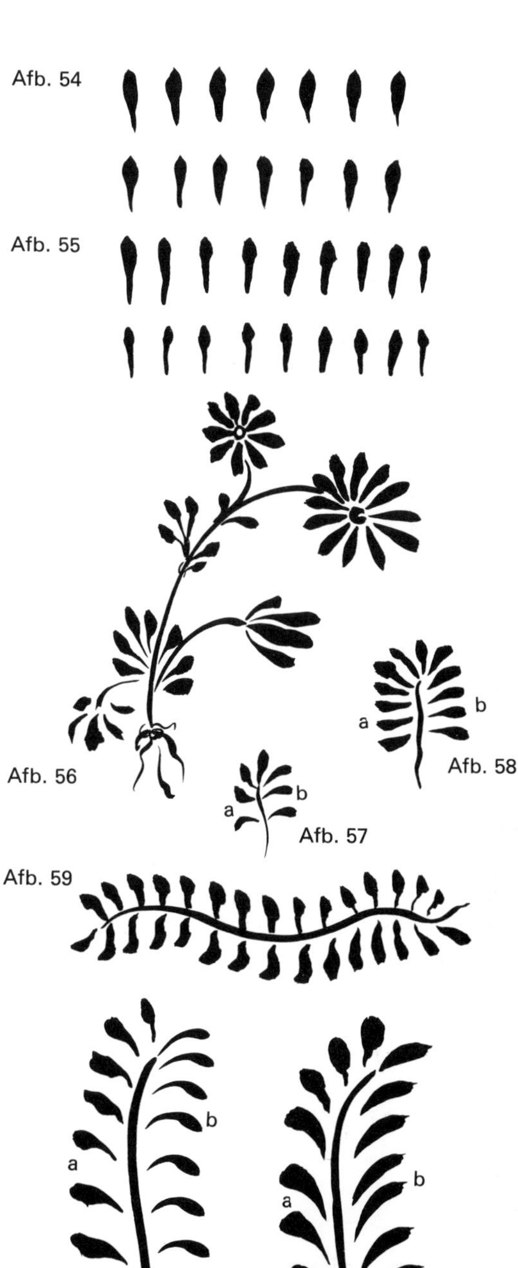

HET 'SLAAN' (in elkaar 'slaan')

Het 'slaan' is een techniek waarbij u door middel van de sleeptechniek vrij vlot bijv. rozeblaadjes, kelkjes of blaadjes kunt schilderen. U beweegt het penseel hierbij van links naar rechts en vervolgens van rechts naar links, totdat de bladpartijen of de bloem gevuld zijn. Deze techniek wordt vaak toegepast bij het schilderen van rozen.

a

b

Afb. 62

Afb. 62a. Links bovenaan beginnen met een halfvol penseel van boven naar rechtsonder.
Penseelstand: half horizontaal.
Afb. 62b. Rechts bovenaan beginnen met een halfvol penseel van boven naar linksonder.
Penseelstand: half horizontaal.

Afb. 63

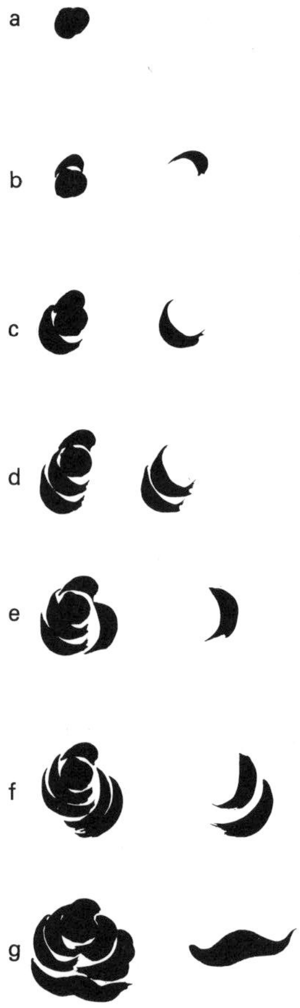

a b c d e f g

Afb. 63. Het maken van een roosje.
a. het bolletje
b. hopper erboven
c. hopper linksonder
d. 2e hopper linksonder
e. hopper rechtsonder
f. 2e hopper rechtsonder
g. het sluitblad: onderaan eindigen met een golvende sleep

VULWERK

Onder vulwerk verstaan we het met kleur 'opvullen' van voorgetekende vormen van bladeren, stelen en kleine vlakken. Het penseel wordt hierbij in half horizontale stand gehouden (zie afb. 32).

Afb. 64a. Trekkrullen, gewerkt van × naar boven in de richting van de pijl met een goed gevuld penseel. Penseelstand: half horizontaal.
b. Trekkrullen, gewerkt van × naar onderen in de richting van de pijl met een goed gevuld penseel. Penseelstand: half horizontaal.

Afb. 65a. Het aangeven van de bladcontour met sleepwerk.
b. Het blad wordt opgevuld met dezelfde kleur.
Penseelstand:
voor het sleepwerk half horizontaal, voor het vullen vertikaal.

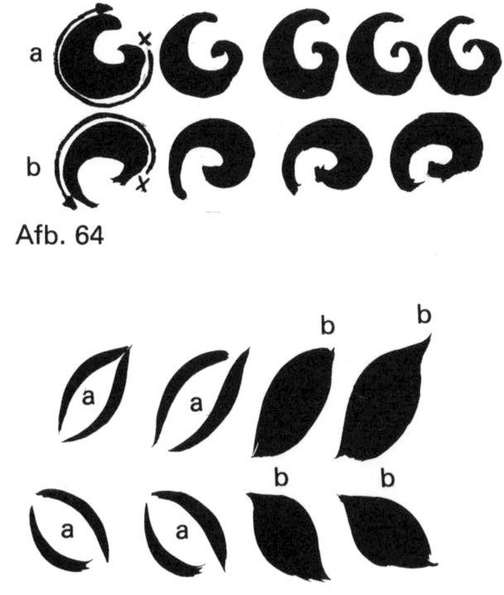

Afb. 64

Afb. 65

Afb. 66. Lantaarnbloem.
a. met sleepwerk de contouren aangeven
b. de bloem opvullen
c. de bladeren worden gemaakt van forse hoppers

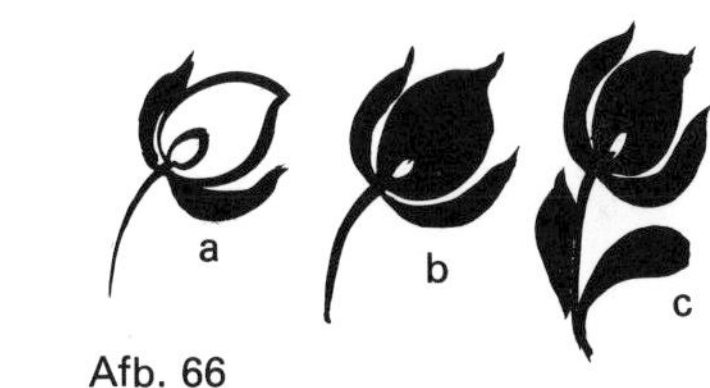

Afb. 66

Afb. 67. Tulpmotieven.
a. de contouren opzetten met een goed gevuld penseel
b. daarna de tulp met dezelfde kleur opvullen

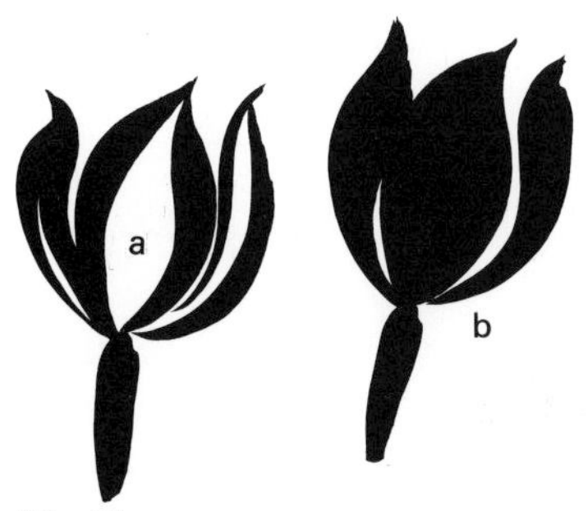

Afb. 67

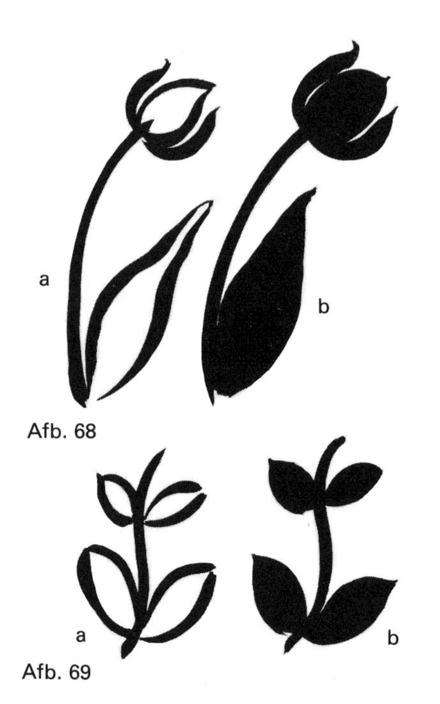

Afb. 68

Afb. 69

Afb. 68. Tulpen.
a. contouren
b. opgevuld
Met goed gevuld penseel gewerkt. Penseelstand: steel en contouren half horizontaal, blad en bloemblad vertikaal voor het opvullen.

Afb. 69. Pepermuntplant
a. contouren
b. opgevuld
Met goed gevuld penseel gewerkt. Penseelstand: steel en contouren half horizontaal, bladeren vertikaal voor het opvullen.

NALOOPWERK

Onder naloopwerk (of het 'nalopen') verstaan we de techniek waarbij reeds geschilderde motieven meestal aan de linkerkant voorzien worden van een lichtere kleur (zie kleurplaat 5). Bij bijv. het nalopen van bladeren doopt u het penseel weer in dezelfde kleur groen die u voor de bladeren gebruikte. Vervolgens doopt u alleen de punt van het penseel in geel en crème en gaat hiermee langs de toppen en één zijkant van het blad. Dit geeft een licht, zonnig effekt en komt later na het patineren prachtig naar voren.

Afb. 70 Afb. 71

Afb. 70. Naloopoefening.
Steel en bladeren volgens afb. 68 maken.
Vervolgens wordt aan de linkerkant (waarop het licht valt) een lichte tint gezet. Dit gaat als volgt: doop het penseel hiervoor even in witte of gele verf, waardoor een lichte kleur ontstaat (zie afb. 32).
Afb. 71. Hiervoor geldt hetzelfde als bij afb. 70 beschreven staat.

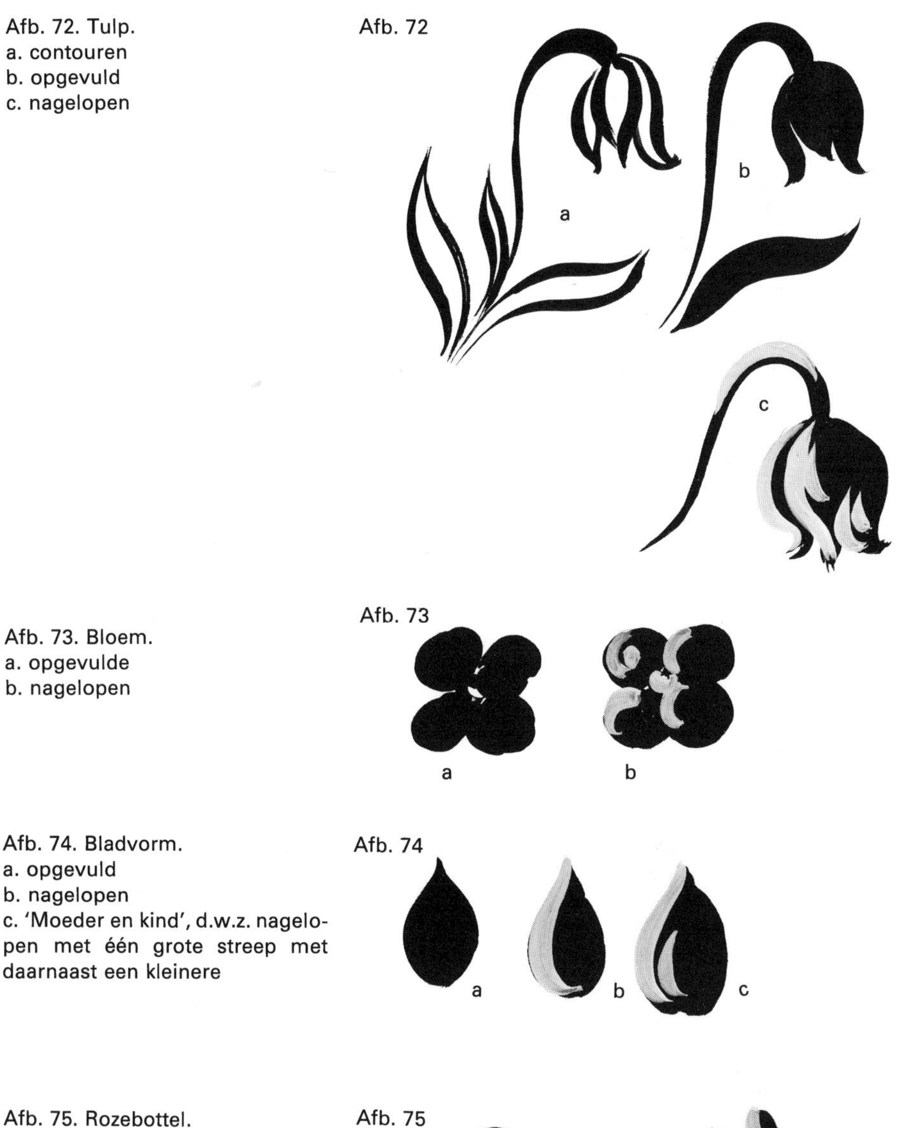

Afb. 72. Tulp.
a. contouren
b. opgevuld
c. nagelopen

Afb. 73. Bloem.
a. opgevulde
b. nagelopen

Afb. 74. Bladvorm.
a. opgevuld
b. nagelopen
c. 'Moeder en kind', d.w.z. nagelopen met één grote streep met daarnaast een kleinere

Afb. 75. Rozebottel.
a. contouren
b. opgevuld
c. nagelopen

Het kalkeren

Om een bepaald motief op een voorwerp te kunnen overbrengen maken we gebruik van een zeer oude beproefde metode: het kalkeren. We nemen daarvoor patronenpapier, transparant papier of ook wel gewoon overtrekpapier. Het beste kunt u de kwaliteit 60-65 nemen, dat in de meeste kantoorboekhandels wel te koop is.
Leg een vel op het motief. Neem het motief met viltstift op het papier over. Dit hoeft niet tot in de kleinste details. Nu met een schoolbordkrijtje de achterkant van het papier inwrijven. Dan met de vingertoppen het krijt goed in de poriën wrijven. Het overtollige krijt wegblazen. Nu het vel op het te beschilderen voorwerp of paneel leggen. Met een balpen het motief doordrukken (doortekenen).
U kunt ook wit karbonpapier gebruiken. Gebruik echter *nooit* blauw of paars karbonpapier, daar u anders bij het aflakken grote moeilijkheden krijgt, omdat de lijnen van het karbon weer zichtbaar worden. Mocht u het voorrecht hebben van antieke stukken motieven te mogen overnemen, dan steeds heel voorzichtig met een *zachte* viltstift te werk gaan!

Bij het overbrengen van de motieven op een donkere ondergrond wit krijt, op een lichte ondergrond blauw of rood krijt gebruiken. Zacht potlood of grafietpoeder wordt hiervoor ook wel gebruikt.

Op kleurplaat 6 is een gekalkeerd motief op een houten doos te zien. Achterin dit boek staan verschillende motieven op ruitjespapier getekend. Deze motieven kunt u zo uit het boek overnemen op overtrekpapier, maar u kunt ze ook vergroten of verkleinen. Kijk eerst even hoe groot of klein u een bepaald motief wilt maken. Meet het motief in het boek en bereken hoeveel u het wilt verkleinen of vergroten. Zet het gewenste formaat uit op een vel tekenpapier en verdeel het vlak in een gelijk aantal ruitjes als waarop het motief in het boek is getekend. De ruitjes worden nu dus groter of kleiner. Teken vervolgens aan de hand van het voorbeeld het motief op ware grootte na.
U kunt uw overtrekpapier het beste in een tekenmap bewaren. Misschien hebt u het nog eens nodig.

Afb. 76 Lucifersdozen, beschilderd met Assendelfter en Zaanse motieven ▶

Staphorster stippeltechniek

Zoals u op blz. 39 al heeft kunnen lezen wordt in Staphorst vaak met de stippeltechniek gewerkt. Hier worden vaak de satijnen mutsjes van de meisjes mee versierd, maar deze techniek kan ook op bijv. houten voorwerpen toegepast worden.

BENODIGDHEDEN

- Voor stippelwerk *op hout* kunt u volstaan met 5 kleuren acrylverf: blauw, geel, rood, groen en wit.
- Voor stippelwerk op *stof* heeft u ook 5 kleuren nodig van een speciale verf, die alleen in de winkels in Staphorst te koop is. (S.v.p. zelf kleine flesjes of potjes meenemen.)

Het speciale van deze verf is dat hij tijdens het maken en het drogen als pareltjes boven op de stof blijft liggen.
Verder hebt u nodig:

- een paar kurken
- enkele spijkertjes, met platte koppen
- enkele zusterspelden. Dit zijn knopspelden met gekleurde bolletjes
- schoteltjes (5 stuks) waarop u wat verf giet, op elke schotel een andere kleur
- zwarte satijn of houten voorwerpen

WERKWIJZE OP STOF

Als u zwarte satijn gaat gebruiken, dan wordt dit op een plaatje triplex, board of karton gespannen. Aan de achterkant de stof goed met plakband bevestigen, zodat u een goed gladgespannen werkoppervlak krijgt.

Omdat de figuren eigenlijk sterk gestileerde bloemvormen zijn, bloemharten waar omheen lichtere bloemblaadjes staan, deelt u het werkoppervlak van tevoren goed in: geef het midden, het halve midden, dan weer een achtste, enz. met strepen kleermakerskrijt aan.

Nu kunt u beginnen de harten van de bloemen met een grote platte kopspijker op te zetten. De harten zijn rood, blauw of geel, daaromheen rode, witte en groene blaadjes.
Het mooiste effekt krijgt u als u met een spijker één voor één de afdrukken maakt. Zo hebt u de minste kans op vlekken of afdruppelende verf.
Een paar handige spijkerstempels kunt u zelf maken. U neemt enkele kurken, grote en kleinere en slaat hier op gelijke hoogte de spijkers in, één in het midden en 4, 5 of 7 stuks er omheen. Zorg ervoor dat alle spijkers op gelijke hoogte komen, anders drukt de stempel niet alle koppen af. Hiermee zijn leuke bloemrozetten te maken. De stempels moet u bij het veranderen van kleur, bijv. van rood naar blauw steeds goed schoonmaken, onder stromend water met een borsteltje of een oude tandenborstel, of afwrijven met een stukje badstof.

Als hart van de bloemen neemt u blauw, geel of rood. Wit en geel gebruikt u voor kleinere stippels rond het hart als bloemblaadjes. U kunt ook naar gelang het aantal kruisjes dat u met kleermakerskrijt op de stof gezet hebt grote rode, gele en blauwe afdrukken

Afb. 77 Staphorster stipwerk. Hier wordt een stempel met één spijker gebruikt

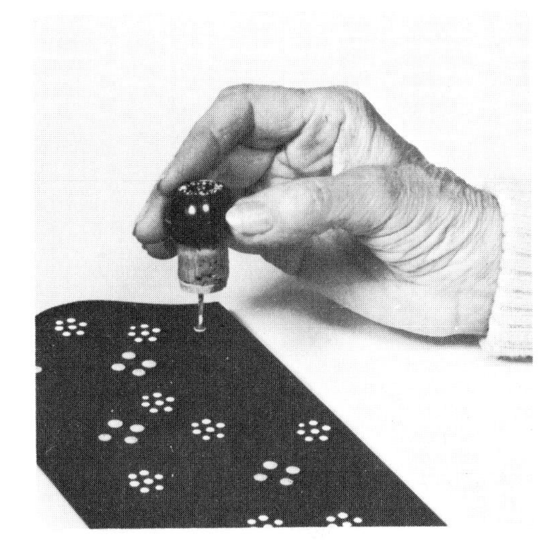

Afb. 78 Behalve de stempel met één spijker kan ook een stempel met meer spijkers gebruikt worden. Hier ziet u een stempel met 7 spijkers

Kleurplaat 6
4 verschillende fasen voor het beschilderen van een doos met Assendelfter motief.
Linksboven: blank houten doos
Rechtsboven: de doos met fondkleur en gekalkeerd motief
Linksonder: de beschilderde doos
Rechtsonder: de beschilderde doos, gepatineerd en afgelakt

Afb. 79 Een Staphorster kralenkistje ('kroalepot') en een gestippelde kinderklomp uit Staphorst (1976)

maken en eerst het hele vlak indelen. Vervolgens gaat u de bloemblaadjes om deze harten heenstippelen. Hierna kunt u deze bloemen onderling door lijnen van groene of witte stippels verbinden.

Door met krijt de stof van tevoren goed in te delen zult u mooie geordende dessins kunnen maken. Dit geldt vooral voor stof 'aan de meter'.

Het is mogelijk de stof in vierkanten te verdelen. In het midden van een vierkant laat u bijv. steeds 3 *rode* bloemen 'spreken' en in de hoeken 2 à 3 gele met witte bloemblaadjes. U kunt met de kleuren naar eigen inzicht zoveel kombineren als u wilt.

WERKWIJZE OP HOUT

Bij het stippelen op hout zorgt u dat het oppervlak met schuurpapier 00 goed gepolijst is. U kunt het beste eerst een laagje acrylmuurverf (die wel lichtecht moet zijn) opbrengen. Deze verf droogt in ± 20 minuten. Gebruik hiervoor zwart, donkergroen of donkerblauw. Deze vormen een uitstekende fondkleur.

Zorg dat de houten voorwerpen droog, schoon en vetvrij zijn. Mochten er toch bijv. vette vingerafdrukken op zitten, dan eerst met ammonia afnemen en goed laten drogen.

Nu kunt u op dezelfde manier als op stof het stippelwerk gaan aanbrengen, waarbij u nu acrylverf gebruikt. Ook hier is het aan te bevelen het te bestippelen vlak van tevoren goed in te delen. Houten gebruiksvoorwerpen mag u ook een laagje matte of satijn-matte vernis geven. Dat beschermt tegen stof, vuil en gebruiksslijtage.

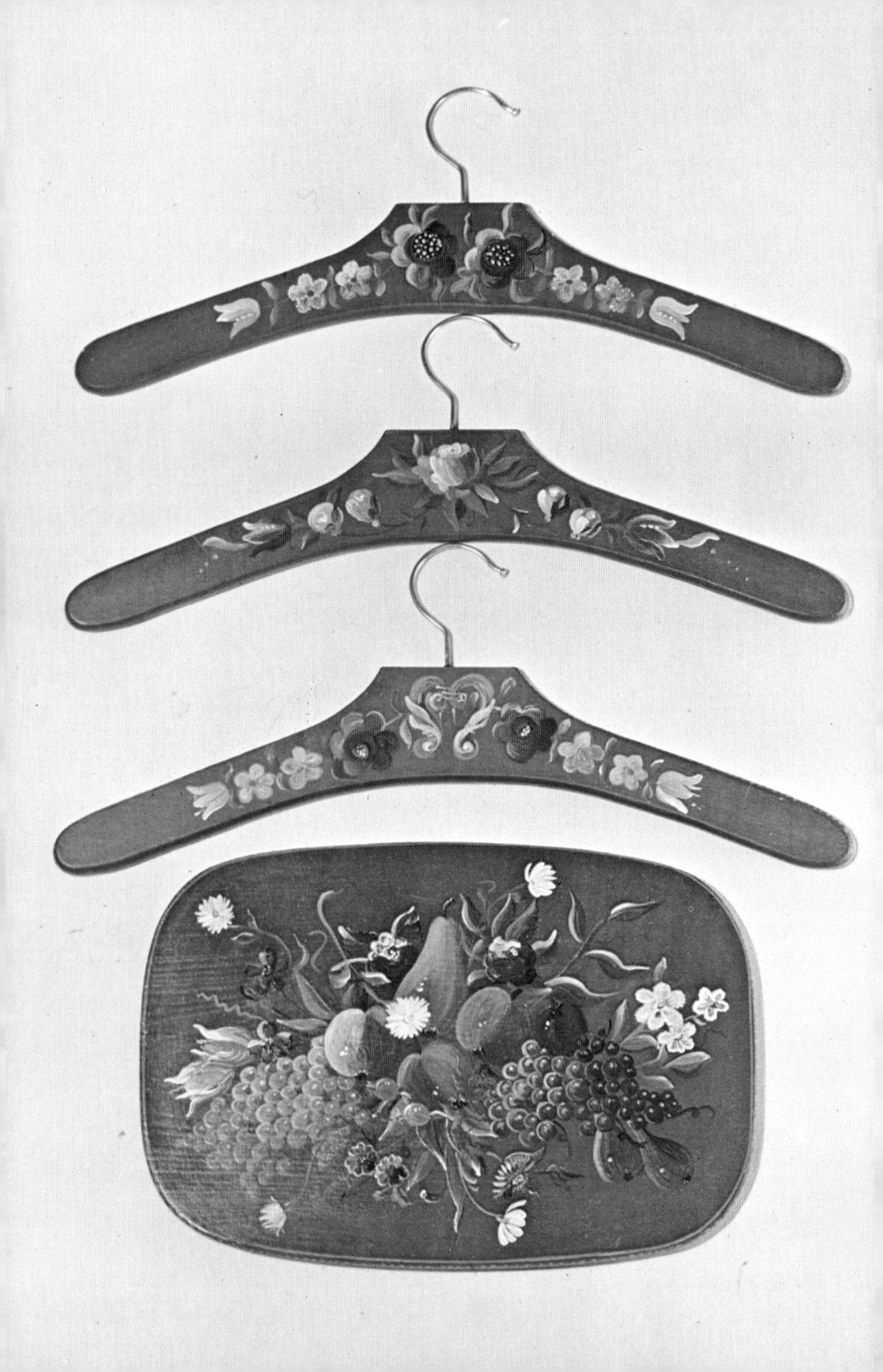

Onderhoud, reiniging en verzorging

Laten we er eens van uitgaan dat u een dienstbodekastje en twee knopstoelen beschilderd heeft. Deze sieren uw gang, trappenhuis of kamer. Ze worden dagelijks gebruikt. Om al uw zelf beschilderde voorwerpen te beschermen tegen gebruiksslijtage moet u ze op de juiste manier verzorgen.

- Was ze *nooit* met water waarin een chemisch schoonmaakmiddel zit.

- Stof ze alleen maar af met een zachte flanellen doek. Hoekjes en lijstjes (eventueel) met een langharige kwast uitstoffen.

- Als er een bijzonder hardnekkige vlek is ontstaan, wrijf deze dan met een zachte sponspunt weg.

- Vermijd echter 'hardhandige' reinigingsmetoden, die het schilderwerk zouden kunnen beschadigen.

- Pas op: *meubelwas* en *politoer* zijn vaak schadelijker dan dat ze nuttig zijn!

- Hoe minder u de beschilderingen aanraakt, des te langer gaan ze mee.

- Mocht na vele jaren het vernis wat afbladderen of barstjes vertonen, dan is dit aan grote temperatuurschommelingen te wijten, voorzie uw meubelstuk dan nog eens van een laag matte vernis, waarbij u er vooral op moet letten dat u een goede stofvrije kwast hiervoor gebruikt. De zijdeglans-, matte- of héél matte vernis eerst heel goed doorroeren!

- Plaats een dekenkist, kast, tafel, ladekastje of stoel niet in de volle zon.

Als u deze regels enigszins in acht neemt zult u vele jaren van uw beschilderde stukken kunnen genieten.

◀ Kleurplaat 7
Kleerhangers en sierplank, beschilderd met Assendelfter bloem- en vruchtmotieven

Afb. 80 Houten bloempotten, beschilderd in Assendelfter stijl met als fondkleuren oud-groen, bruin en oud-blauw

Patineren

Patineren is de 'finishing touch' van uw schilderwerk. Het verleent de werkstukken een ietwat antiek aanzien en het zorgt ervoor dat de verschillende motieven onderling meer harmoniëren. Om te beginnen wijzen we u erop dat niet alle voorwerpen gepatineerd hoeven te worden.
Hier volgt een eenvoudig recept om zelf patina te maken.

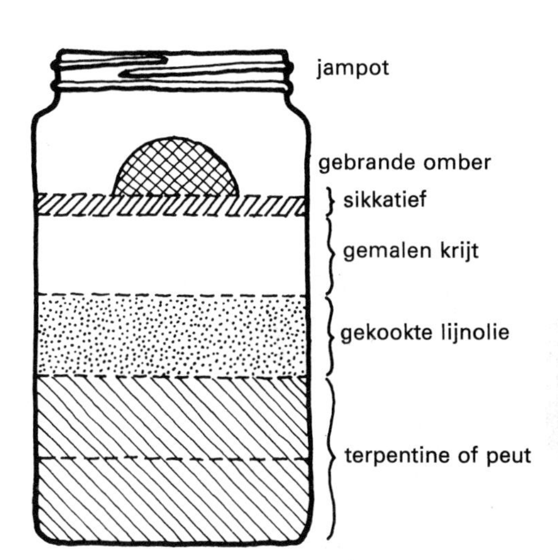

Afb. 81 Het maken van een patina

- 1 lege jampot in 5 delen onderverdelen door strepen erop aan te brengen

Hierin mengen we:

- 2 delen terpentine
- 1 deel gekookte lijnolie
- 1 deel gemalen krijt
- een scheut sikkatief
- 1 opgehoopte eetlepel verfpoeder (gebrande omber)

Eigenlijk is deze patina een imitatie van wat vroeger door rook, stof en de tand des tijds gebeurde. Er zijn in 1680 echter wel kasten gemaakt die met schellak 'gepatineerd' zijn. Dit is bijv. te zien in het Enkhuizer museum.

Werkwijze

Leg het te patineren voorwerp vlak neer. U hebt nodig:

- 1 schoteltje
- een platte kwast
- een oude lepel of een grote spijker
- een zachte doek van tricot of flanel (die niet pluist)

Roer *nooit* in de patina!
Breng met de lepel of spijker een beetje dik ingezakte patina op het schoteltje aan. Mocht de patina na lange tijd hard geworden zijn, steek dan een klein stukje af en druk dit fijn op het schoteltje. U kunt met het bovenste vloeibare gedeelte het hele werkoppervlak dunnetjes insmeren. Nu snel kleine hoopjes patina (van het fijngedrukte hoopje op het schoteltje) met de doek of met de platte kwast op het werkoppervlak tamponeren (= opdrukken). Dan direkt met de hele doek 90% van de patina weer wegwrijven (op de manier zoals u ook met wrijfwas zou werken).
Zijn er nu lichte gedeeltes (bijv. een lichte bloem) die u lichter wilt hebben, dan kunt u deze 'uitpoetsen' door enkele druppels terpentine op een doek te doen. Met een van uw vingers poetst u met de doek de bloem zachtjes uit.

Ga vooral zachtjes te werk. Overtuig u er altijd eerst van dat uw schilderwerk kurkdroog is. Houd bij het patineren altijd een ekstra doek en een fles peut bij de hand voor eventuele ongelukken. U kunt ook kant-en-klare patina in de winkel kopen. De Duitse merken hebben echter een hele lange droogtijd nodig. Let hier goed op! In dat geval kunt u een beetje sikkatief (de Courtrai) toevoegen. Soms komt het voor dat patina zich 'verplaatst'. Dat betekent dat het werk niet goed droog is geweest. Om dit te voorkomen mag u het patinalaagje als het droog is fixeren met wat gewone (en goedkope) haarlak. Daarna aflakken met een of twee lagen matte of half matte vernis.
Aan de randen van een paneel of kastdeur kunt u iets meer patina aanbrengen dan op de rest van het voorwerp. De motieven echter goed uitpoetsen. Hierdoor krijgt u een mooi effekt. Zuinig en dunnetjes werken!

Afb. 82 Mangelbak, beschilderd met Hindelooper motieven in rouwkleuren

Wat te beschilderen

Zeer klassiek in Nederland is het gebruik van houten dozen en grote opbergdozen. Op Marken en in Zeeland de mutsedozen, in de Zaanstreek o.a. metalen opbergdozen voor levensmiddelen. Ze zijn er tegenwoordig ook weer; doosjes, kistjes, spanen dozen e.d. zijn in alle maten te koop. Het zijn vaak zeer welkome geschenken op een verjaardag. Vergeet niet op zo'n doos of kistje ook het monogram van de toekomstige bezitter te schilderen!

Houten voorwerpen zoals:
- grote lucifersdozen
- spanen doosjes
- kuipjes
- stoofjes en sierstoofjes
- koffiefilterhouders
- paraplubakken
- borden en bordenrekken
- kapstokken
- melkkrukken
- servetringen
- dienbladen
- eierdopjes en -rekjes
- speelgoedmeubels
- poppenmeubels
- kleine houten, papieren en kartonnen voorwerpen e.d.
- naaidozen
- dekenkisten
- meel- en erwtenscheppen
- pepermolens
- kaarsenstandaards
- houten bloempotten
- vlees- en kaasplanken
- houten nappen

Voorwerpen van stof zoals:
(alle van zwarte of donkere satinet)
- kussenovertrekken
- poefovertrek
- theemuts
- eierwarmers
- keukenhandschoenen
- rok- en bloezestof
- tafelkleedjes
- beddeovertrek
- kinderkleding
- autokussens e.d.

De meeste hier opgesomde artikelen zijn wel bij u in de buurt verkrijgbaar. Op de hobbyafdelingen van warenhuizen kunt u veel houten artikelen vinden. Ook hobby- en houtwinkels, sommige verfwinkels en doe-het-zelf-zaken hebben vaak een uitgebreide kollektie houten artikelen om al dan niet te beschilderen.

Afb. 83 Een verzameling blank houten voorwerpen

Motieven

JISP

Versiering met mand, fruit en vogels uit Jisp
(Nrd. Holland)

1 **Mand:**
Pruisisch blauw, oker en wit
2 **Peer:**
geel, groen en bruin
3 **Appels:**
oker, bruin en rood
4 **Margrietjes:**
wit
5 **Druiven:**
witte en blauwe
6 **Roos:**
roserood
7 **Puttertje:**
rug: geel-bruinig
kop: zwart, rood en wit
vlerken: donker en daarop witte vlekken (spiegels)
8 **Bladeren:**
groen met geel-wit naloopwerk

(zie kleurplaat 1 op blz. 9'

JISP

Werkwijze van de Jisper schilder
Op de zijlijsten van een Noordhollandse kast (Jisp) worden ranken geschilderd, daaraan bladeren, afhangende klimranken, druivetrossen en vogeltjes die erop zitten.

Fond:
bruin-grijs, ook wel groen

1 **Ranken**:
bruin, donkerbruin, grijs en wit
2 **Druiven**:
lichte druiven: wit, oker en groen
donkere druiven: wit, blauw, grijs, Pruisisch blauw
3 **Vogeltje**:
borst: grijs, crème-wit, rose
rug: grijs, omber, zwart

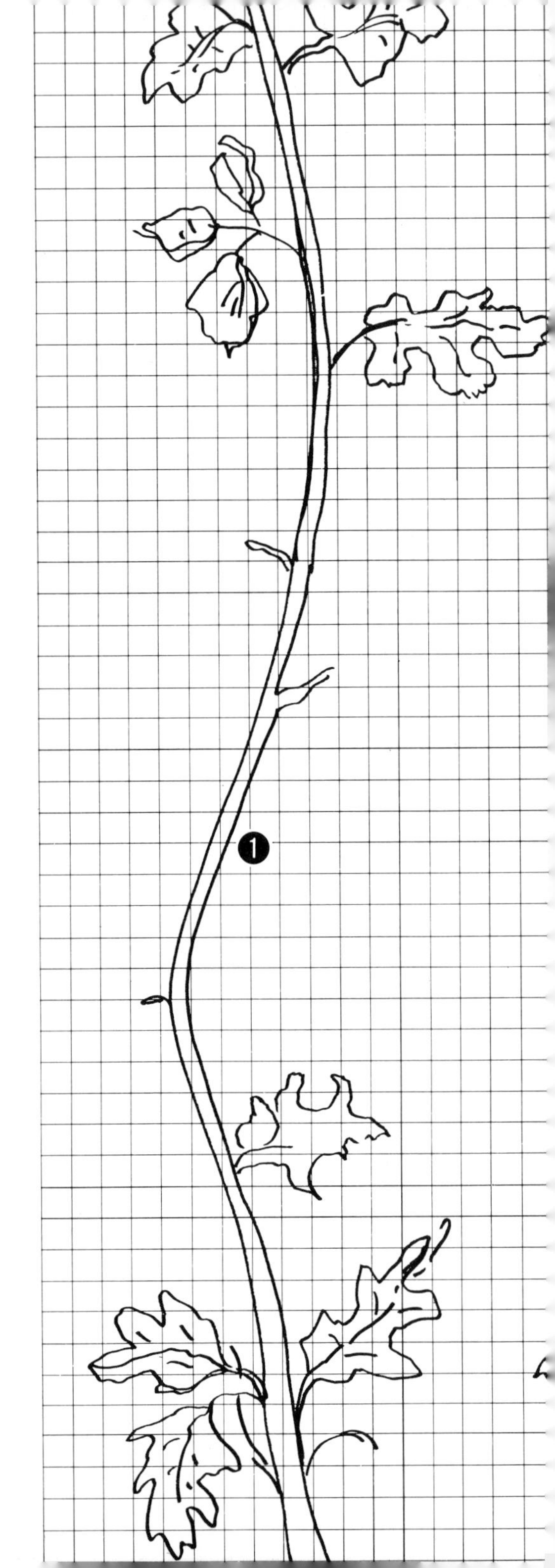

3
3
1
2
2
1

ASSENDELFT

Werkwijze van de Assendelfter schilder
Op de monumentale Assendelfter kasten treffen we op de zijlijsten een typerende bloemguirlande aan. Deze is boven en onder het gemarmerde kapfries opgehangen. Op het ophangpunt prijkt een oranje-rood sierstrikje. De bloemgroepjes bestaan meestal uit 3 rozen (2 rode, 1 gele; soms een blauwgrijze 'roos in de schaduw' aan de onderkant, zie S). Door de stijve, naar beneden lopende bladeren loopt een slingerende klimplant met oker-witte bloemetjes eraan.

Aflopende bladeren:
groen, donkergroen, blauw, grijs; met wit en oker nalopen
Tulpeknop:
soms steekt hier of daar een tulpeknop uit: rose, rood en wit. Deze sierlijst die bestaat uit een versierde bloemtak wordt ook gebruikt in een **opgehangen sleep**, tussen twee strikken opgehangen en met dezelfde bloemen gevuld (zie de Assendelfter kast in het Zuiderzee Museum, Enkhuizen)

S
S
S

ASSENDELFT

Oude Assendelfter bloemmotieven
(op een nieuwe manier gekomponeerd)

Bloemmotief A

1 **Pompoen:**
paars, crème, geel of blauw
2 **Roos:**
oranje-rood, kronkelende witte nalooplijnen
3 **Tulp:**
oranje-rood

Bloemmotief B

1 **Pompoen:**
paars, crème, geel of blauw
2 **Roos:**
oranje-rood, kronkelende witte nalooplijnen
3 **Kerstroos:**
oker, wit en groen
4 **Kleine tulp:**
geel met rode punt aan het penseel

Bloemmotief C

1 **Mispelblom:**
oker, wit en grijs
2 **Mispels:**
bruin met iets oker
3 **Bladeren en knoppen:**
bruin met oker, witte nalooplijnen

D **Lelietje van dalen:**
zachtgeel blad, witte bloem
E **Grote tulp:**
oranje-rood
F **Mispelbloemmotief met tulpeknoppen:**
grijs, oker, wit en oranje-rood
G **Oud Zaanse roos:**
rood met grote witte nalooplijnen

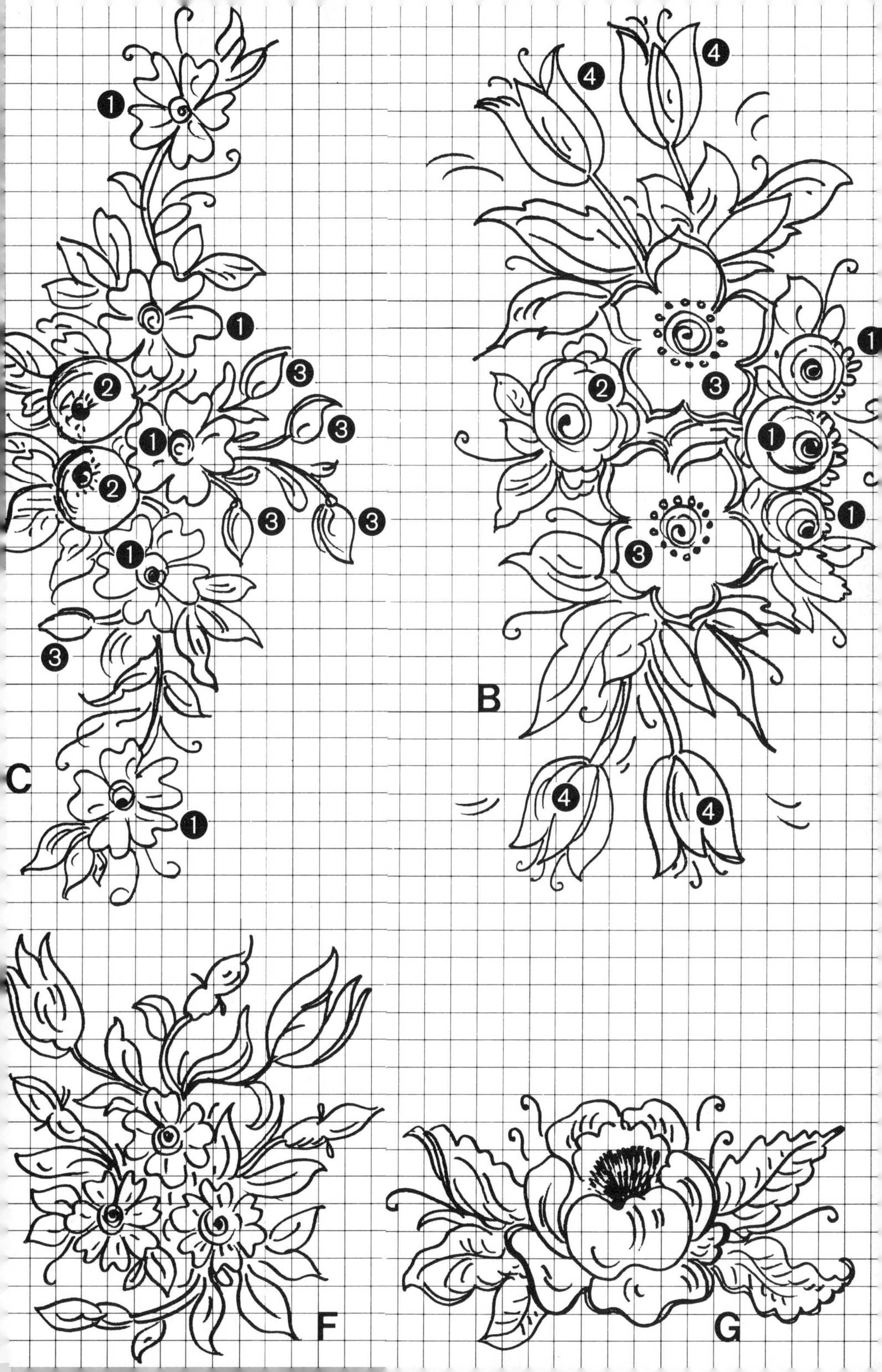

1
1
2
3
3
1
2
3
3
1
3
C
1
4
4
1
2
3
1
1
3
B
4
4
F
G

A
B
C
D
5
5
5
3
3
6
1
2
1
8
6
4
8
4
9
MH
7
4

ASSENDELFT

Assendelfter vaas

1 **Roos**: karmozijnrood, kronkelende witte nalooplijnen
hart: rood met iets donkerbruin
2 **Kerstroos**: oker, wit met groen hart
3 **Grote tulp**: oranje-rood
4 **Kleine tulp**: geel met rode punt aan het penseel
5 **Mispelbloem**: oker en wit
6 **Korenbloem** (evt. **distelmotief**): blauw, rose en witte streepjes
7 **Witte narcis**: hartje: geel met rood cirkeltje
8 **Pompoen**: paars, crème, geel of blauw
9 **Assendelfter vaas** (met persoonlijk monogram MH): donkerblauw, grijs en licht naloopwerk

Details

A **Pompoentjes**: paars, crème, geel of blauw
B **Grote tulp**: oranje-rood
C **Roos**: karmozijnrood, kronkelende witte nalooplijnen
hart: rood met iets donkerbruin
D **Distelbloem** (of verbleekte **korenbloem**): blauw, rose en witte streepjes

ZAANSTREEK

Zaans festoen (zie volgende blz.)

1 **Granaatappel**: rood, oker en wit
bessen: rode puntjes op zwart fond
2 **Appels**: groen met geelachtige lichtkant
3 **Peer**: groen en bruin met okerkleurige lichtkant
4 **Mispelbloemen**: oker met wit en geel en een groen hartje
5 **Roos met knoppen**: rose-rood
6 **Blad**: oker en groen
7 **Margrietjes**: wit
8 **Witte druif**: groen, oker en witte glanspuntjes
9 **Blauwe druif**: Pruisisch blauw met oker en witte glanspuntjes

7
5
6
5
6
8
7
6
4
2
3
1
2
7
4
5
9
7
6
5

Kleurplaat 8
Mangelplanken en -bakken, beschilderd met Amelander volksmotieven (zie motieven blz. 88 en 89)

AMELAND

Amelander levensboommotief

Dit is een eenvoudig levensboommotief met licht en donker naloopwerk om het houtsnijwerk te imiteren, zoals dat vroeger op mangelplanken in Ameland werd gemaakt. Zie de kleurplaat op de vorige bladzijde.

A **Sleepwerk:** voor stam en stelen
B **Vulwerk:** bladeren met groen opvullen, iets bruin of blauw door het groen mengen
C **Naloopwerk:** groenachtig geel met een witte punt aan het penseel
1 **Tulp:** oranje-rood
2 **Mispelblom:** wit-oker of wit-blauw
3 **Vogels:** buik: geel
rug: bruin
4 **Vaasje:** donkerbruin of donkerblauw met witte motieven
5 **Knopjes:** groen

AMELAND

Skammelmotief (tekening op blz. 89)

A **Vulwerk:** iets bruin in het groen mengen
B **Sleepwerk:** voor stam en stelen
C **Naloopwerk:** groenachtig geel met een puntje wit aan het penseel
1 **Tulp:** oranje-rood
2 **Bloem met dubbel blad:** blauw met een witte rand er omheen
3 **Mispelblom:** wit-oker of wit-blauw
4 **Vaasje:** bruin, oker, roestbruin met witte motieven
5 **Blaadjes:** groen-blauwachtig met licht naloopwerk

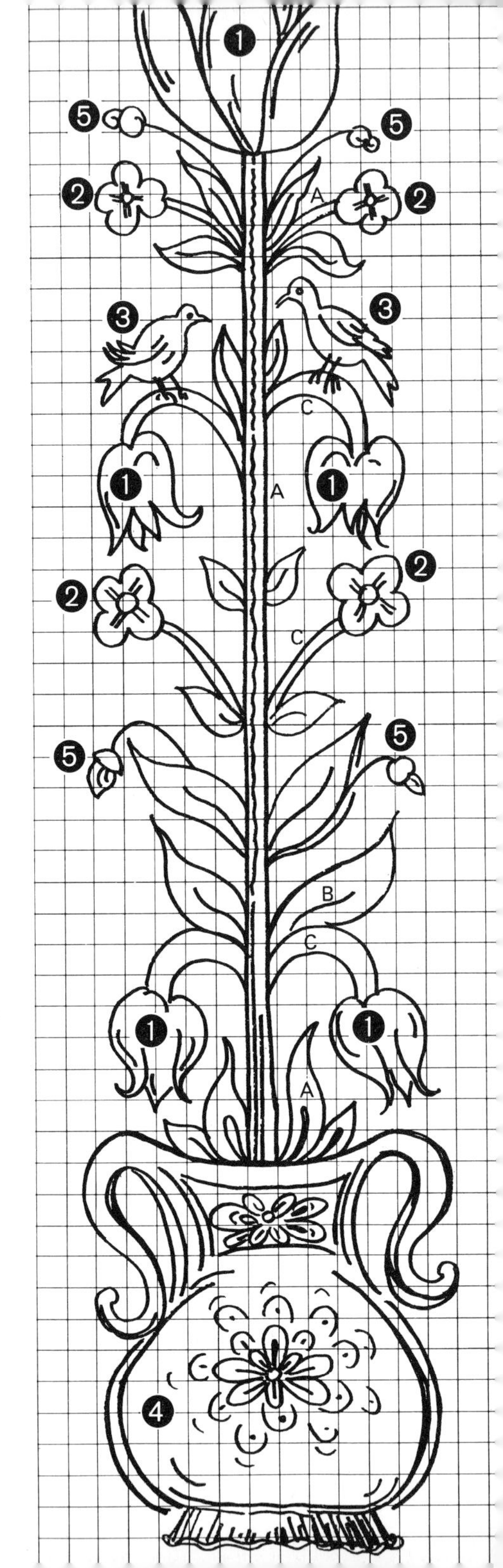

1
2
2
C
C
B
B
3
3
C
C
B
B
1
1
C
A
A
B
A
A
A
5
A
4

MARKEN

Marker festoen (of sierlijst)

1 **Tulp**:
oranje, gebrande sienna en wit
2 **Anjer**:
karmijnrood en wit
3 **Korenbloem**:
blauw en wit
4 **Openbloeiende tulp**:
bleekrood met witte nalooplijnen
5 **Kerstroos**:
lila, wit en bruin
6 **Knoppen**:
rood met een bruine punt aan het penseel
7 **Blad**:
donker, bijna zwartgroen

De zwierige bladeren voortekenen met de hoofkleur groen en de punt van het penseel in zwart dopen. Grof naloopwerk met witte lijnen.

1
4
4
2
6
5
1
4
2
3
5
6
1
5
4
2
6
1
4
5

ZEELAND (Tholen en St. Philipsland)

Motief van een boeren spaanhouten doos (zie tekening op blz. 91)

1 **Roos**: donkerrose hart met veel witte vlekken (gemaakt met witte lijntjes)
2 **Tulp**: oranje met gele lijnen
3 **Rozeknop**: rood, met donkerbruine schutblaadjes
4 **Rozebladeren**: lichtgroen met witte gewrongen nalooplijn
5 **Tulpeblad**: zeer donker vulwerk en zwarte nalooplijnen
6 **Tulpestelen**: groen-donkerbruin en wit in het penseel (grote sleeplijnen)

ZEELAND (Cadzanderland)

Knechtekisten boeket (zie tekening hiernaast en afb. 25)

1 **Roos**: rood of rose
2 **Anjer**: lila en wit
3 **Bloemen**: geel met roestbruine schaduw
4 **Veldklokjes**: Pruisisch blauw, bleu en wit
5 **Lelietje van dalen**: zachtgeel blad, witte bloem
6 **Rozeknop**: roodbruin
7 **Stelen**: zwart, bruin, groen en wit
A **Sleepwerk**: dun, dik, dun; groen met witte punt aan het penseel
B **Vulwerk**: groen met bruin en witte nalooplijnen

2
2
4
4
A
A
4
3
4
B
1
1
1
B
3
3
6
3
6
3
3
5
3
7

HINDELOOPEN

Motieven, overgenomen van antieke Hindelooper stukken
A **Exotische vogel op bloemfestoen** (bijbellessenaar)
B **Omkijkend geluksvogeltje** (uit lijst van een paneel)
C **Vogel met afhangende vleugels** (bijbellessenaar)
1 en 2 **Werkwijze van de tulpeknop**
3 en 4 **Werkwijze van de oude roos** (van een klaptafel)
5 **Grote tulp** (die voorkomt op een flap-aan-de-wand, op het bovenblad, Zuiderzee Museum)
6 t/m 9 **Werkwijze van de papaverbol**
10 t/m 13 **Werkwijze van een Hindelooper roosje**
14 **Het aanbrengen van schaduw** in het Hindelooper roosje
15 en 16 **Werkwijze van de grote Hindelooper roos**

A
B
C
1
2
3
4
5
6
8
9
10
11
12
13
14
15
16

HINDELOOPEN

A **Bloemmotief van een kinderstoel** (paneelvulling)
1 **Roosjes**: kransje van oker met daarin oker met vermiljoen vermengd
2 **Tulpeknop**: rood met geel
3 **Strik**: Pruisisch blauw met een witte punt aan het penseel

B **Vogels van een antiek Hindelooper dienblad**
1 **Kop**: oker met wat rood en wit
2 **Buik**: oker met wat bruin en wit
3 **Rug en staart**: donkerbruin
4 **Delen van acantuskrullen**: blauw met oker en wit

C **Vlakvulling van een oud dienblaadje** (werkwijze zie blz. 95, 16)
1 **Grote roos**: karmijnrood met daarin iets Pruisisch blauw
2 **Kleine roos**: oker met rose-oker en witte lichtpuntjes
3 **Papaverbol**: Pruisisch blauw, lichtblauwe lichtkant, witte stipjes
4 **Slaapmuts**: rose-oker, geel met witte nalooplijnen
5 **Tulpeknop**: rood met bruin en wit

A
1
1
2
3
1
B
1
1
3
3
2
2
4
4
C
3
5
3
3
5
3
4
5
2
3
1
3
5
4
4
3
5
3
5
3

HINDELOOPEN

Motief van een antiek dienblad
Rand: oud blauw
Het voorliggende deel met 'vogelmidden' is op Hindelooper rood uitgevoerd

1. **Roos:** oker met rose-oker, crème-witte blaadjes met witte lichtpuntjes
2. **Roos:** (ander type): karmijnrood met iets zwart vermengen, crème-witte lijnen
3. **Papaverbol:** Pruisisch blauw met lichtblauwe lichtkant en witte stipjes
4. **Tulpeknop:** okergeel met donkerbruine schaduw en crèmekleurige lichtkant
5. **Vogel:** buik: oker
   rug en staart: donkerbruin
   kop: zwart met wit puntje als oog, witte nalooplijnen

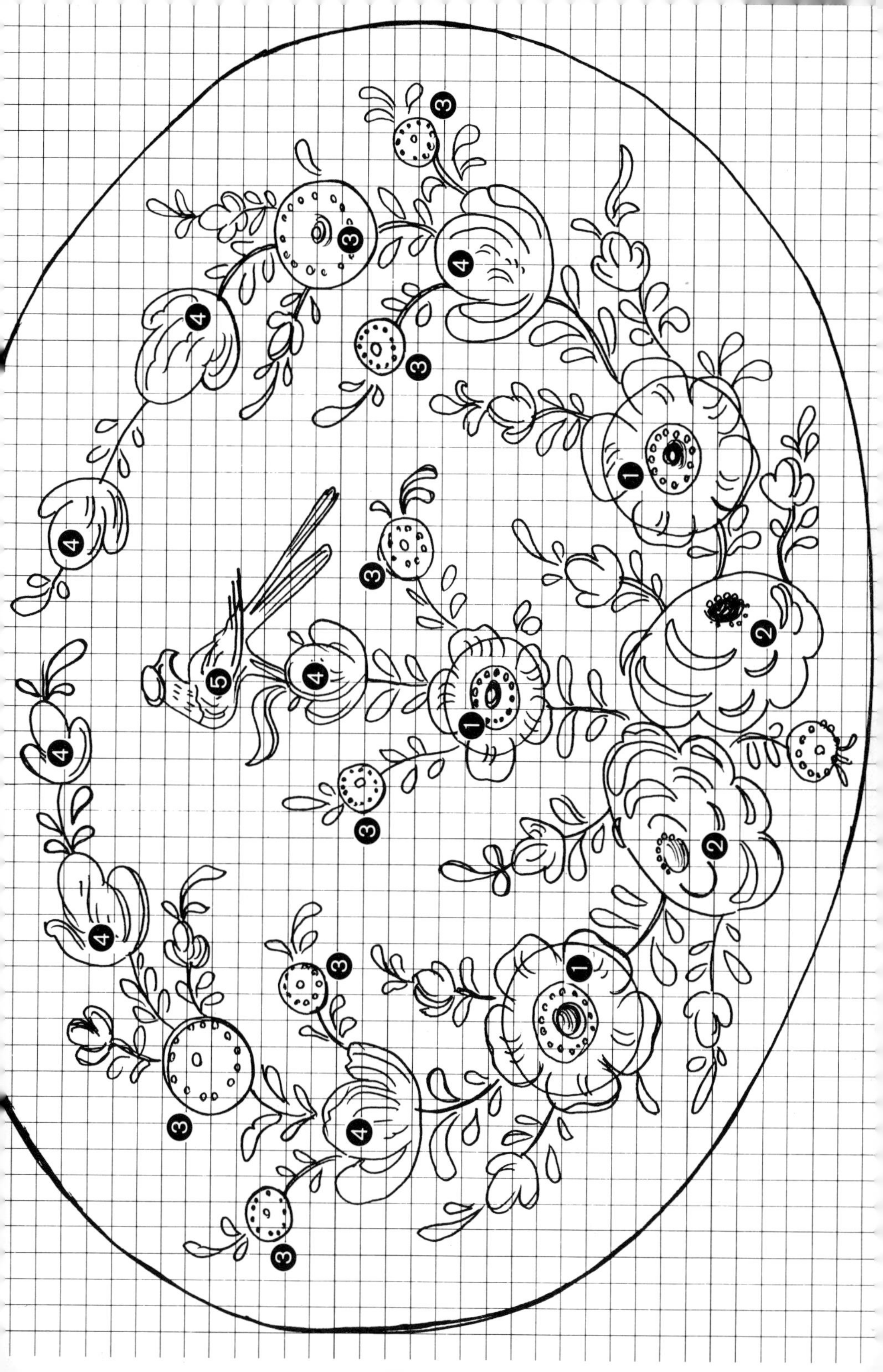

Naslaglijst van termen

Aflakken
Aflakken is het definitief afwerken van het beschilderde voorwerp door het van 1 à 2 lagen blanke of transparante lak te voorzien. Het beste kunt u hiervoor *matte* lak of *zijdeglanslak* gebruiken.

'Hoppertjes' (of de 'hoppertechniek')
Hieronder verstaan we het maken van kleine sleepjes. Het verschil met een sleep is dat, in plaats van de penseelstreek in een puntje te laten uitlopen, deze hoppertjes abrupt worden afgebroken, zie blz. 56.

Kalkeren
Kalkeren is het overnemen van (vaak eeuwenoude) motieven. Dit kan het beste gedaan worden met patronen- of overtrekpapier. Voor het overnemen van de motieven een *zachte* stift gebruiken, anders beschadigt u de oude schildering. Voor het overbrengen van het motief wordt het papier aan de onderkant met krijt ingewreven (zie blz. 64).

'Moeder en kind'
Deze term gebruikt men bij het nalopen. Als een blad aan één kant is nagelopen kan men het nog meer en vrolijker doen opleven. Dan plaatst men parallel aan de naloopsleep nog een sleepje of hoppertje. In dat geval een *grote* en *kleine* naloopsleep (zie afb. 74c).

Naloopwerk
Onder naloopwerk (of het 'nalopen') verstaan we de techniek waarbij reeds geschilderde motieven meestal aan de linkerkant voorzien worden van een lichtere kleur (zie kleurplaat 5). Bij bijv. het nalopen van bladeren doopt u het penseel weer in dezelfde kleur groen die u voor de bladeren gebruikte. Vervolgens doopt u alleen de punt van het penseel in geel en crème en gaat hiermee langs de toppen en één zijkant van het blad. Dit geeft een licht, zonnig effekt en komt later na het patineren prachtig naar voren (zie kleurplaat 6).

Overbrengen
Het overbrengen van oude motieven wordt met overtrek- of architektenpapier gedaan. Met een zachte viltstift trekt u de lijnen en figuren over. Eerst de onderkant van het papier met grafiet, zacht potlood of schoolkrijt inwrijven. Dan afblazen. Nu op het voorwerp of vlak leggen en de lijnen of figuren met een zacht potlood overtrekken (zie blz. 64).

Patineren
Onder patineren verstaan we het aanbrengen van een 'oud' laagje over de schildering. De kleuren en vormen harmoniëren door het patineren beter. Er zijn verschillende soorten *bruine*, *groene* of *roodachtige* patina's en ook verschillende tinten al naar gelang het werkstuk dit verlangt. Niet alles hoeft gepatineerd te worden (zie blz. 73).

'Peper en zout' oefening
Hiermee geven we een bepaalde manier om het penseel goed te reinigen aan. We pakken de haren van het penseel vlak bij de metalen bus tussen duim en wijsvinger en, terwijl we het penseel tussen de vingers rollen, knijpen we ze uit (zie blz. 50).

Ploppen
Onder ploppen verstaan we het vettige en ietwat plomp 'opstoten' van het penseel met verf op het te beschilderen oppervlak.

'Ribbenkast' oefening
Dit is een oefening, waarbij u sleepbogen maakt, die van onderen naar boven gewerkt worden en die boven iets dikker uitlopen dan

onder. Het penseel wordt half horizontaal gehouden en u werkt met een vol penseel (zie blz. 57).

Slaan (in elkaar 'slaan')
Het 'slaan' is een techniek waarbij u door middel van de sleeptechniek vrij vlot bijv. rozeblaadjes, kelkjes of blaadjes kunt schilderen. U beweegt het penseel hierbij van links naar rechts en vervolgens van rechts naar links, totdat de bladpartijen of de bloem gevuld zijn.
Deze techniek wordt vaak toegepast bij het schilderen van rozen.

Sleepwerk
Onder sleepwerk verstaan we de techniek waarbij u het penseel van u af beweegt en de penseelstreek laat eindigen in een puntje. De penseelharen glijden onder lichte druk over het vlak en het penseel wordt in half horizontale stand gehouden. Deze techniek wordt vooral gebruikt voor het schilderen van ranken, stelen en bloemen.

Trekwerk
Onder trekwerk verstaan we de techniek waarbij u het penseel naar u toe trekt en de penseelstreek laat eindigen in een puntje. Het wordt op dezelfde manier gebruikt als sleepwerk, maar veeleer om kleinere motieven of randen aan te brengen, die een dekoratieve werking moeten hebben. Het penseel wordt in vertikale of half horizontale stand gehouden.
In Hindeloopen spreekt men van 'sla-trekwerk' bijv. bij het schilderen van een samengesteld blad. Aan de ene kant van de nerf worden dan de blaadjes 'geslagen', aan de andere kant de nerf getrokken (zie afb. 60 op blz. 59).

Vulwerk
Onder vulwerk verstaan we het met kleur 'opvullen' van voorgetekende vormen van bladeren, stelen en kleine vlakken. Het penseel wordt hierbij in half horizontale stand gehouden (zie afb. 32).

Literatuurlijst

Asker, R., **Native art of Norway**, Verlag Mittet 100/071 A., Oslo, Noorwegen.
Asker, R., **Old Norwegian rose painting**, Verlag Mittet 100/071 A., Oslo, Noorwegen.
Bauernmalerei, Meyers Modeblatt Sonderheft Nr. 118, Zürich, Zwitserland 1973.
Bauernmalerei der Schweiz, Meyers Modeblatt Sonderheft Nr. 100, Zürich, Zwitserland 1967.
Fruttiger, V., **Rococo Malerei**, Songo Verlag, St. Gallen 1977.
Gut, W., **Ostschweizer Bauernmalerei**, Verlag Paul Haupt, Bern 1976.
de Haan, Tj.W.R., **Volkskunst der lage landen** (in drie deeltjes), Elsevier Kunst Pockets, Amsterdam (Deel 3 **Woonkultuur** met bijdrage van P. Clarijs).
Hanart, R., **Appenzeller Bauernmalerei**, Verlag Arthur Nigghi, 1959.
Heinkele en Stegmüller, **Malen im Bauernstill** (een keuze van Duitse boerenschildermotieven en technieken), Verlag Hugo Geiger, D-8022 Grünwald, W.-Duitsland.
Hogen Esch-Kuipers, T., **Hindelooper schilderkunst**, Prov. Afd. Groningen van de Nederlandse bond van Plattelandsvrouwen, Groningen 1976.
Johansen, A.E., **Rosemaling**, J.W. Cappelens Forlag A.S., Oslo 1973.
Kauffman, H.J., **Pennsylvania Dutch; American Folk Art**, Dover Publications Inc. 1964.
Kruissink, G.R., **Volkskunst en voorbeeld**, Vereniging 'Vrienden van het Zuiderzeemuseum', 1970.
Kühnemann, U., **Bauernmalerei... eine Einführung**, Verlag M. Frech, D-7000 Stuttgart 1 Bottnang, W.-Duitsland.
Lenz. E., **Bauernmalerei aus dem Skizzenbuch von Erica Lenz**, Songo Verlag, Gossan SG.
Merhart, N. von, **Eenvoudige volksschilderkunst**, Cantecleer bv, de Bilt 1978.
van der Molen, S.J. **De Hindelooper woonkultuur** (ondertitel: Interieur en klederdracht in het licht der archieven), A.J. Osinga N.V., Bolsward 1967.
Nieuwhoff, C., **Klederdrachten**, Uitg. Zomer & Keuning, Ede 1975.
Obermair, G., **Bauernmalerei**, Wilhelm Heyne Verlag, München 1977.
Pietersen, W. en Venekamp, L., **Het Hindelooper schilderboek**, de Tille, Leeuwarden 1980.
Ramos, S., **Bauernmalerei – leicht gemacht,** Falken Verlag, Erich Sicker K.G., Wiesbaden 1976.
Ritz, G., **Alte bemalte Bauernmöbel Europa**, Verlag Georg D.W. Callwey, München 1970.
Rubi, Chr., **Bauernmalerei**, Verlag Paul Haupt, Bern 1971.
Wullschläger, S., **Schilderen in de boerenstijl** (rode omslag).
Malen im Rococo-stil (blauwe omslag) tevens een 3e en 4e verzamelmap met Zwitserse motieven:
3e map: **Barock en Renaissancemotieven**
4e map: **Architectonische indeling van oppervlakken en verdere technieken**, deel I
5e map: **Oppervlaktetechniek**, deel II
Van Loesberg bv, Postbus 3, 5768 ZG Meijel.

Namenlijst musea

Rijksmuseum voor Volkskunde, Het Nederlands Openluchtmuseum, Schelmseweg 89, Arnhem 085-452065

De Axelse boerenkamer, Bastionstraat 32, Axel (Z), De heer Olieslager 01155-1793

Edams Museum, Damplein, Edam (geen telef.)

Museum De Hidde Nijland Stichting, Dijkweg 1, Hindeloopen 05142-1420

Friesche Museum, Turfmarkt 24, Leeuwarden 05100-23001

Waterschapshuis, Bedumerweg 2, Onderdendam (Gr) 05900-9242

Museum voor Zuid- en Noord-Beveland, Singelstraat 13, Goes 01100-28883

Zuiderzeemuseum, Wierdijk 18, Enkhuizen 02280-3241

Cadzandse Kamer (Streekmuseum), Markt 28, IJzendijke 01176-1200

Streekmuseum Goeree-Overflakkee, Kerkstraat 4, Sommelsdijk 01870-3778

Oudheidkamer, Molen 'de Windlust', (geen telef.) Wolvega (Fr)

Workum's Eerfskip, Waaggebouw, Merk 4, Workum (Fr) 05151-1300

Zaanse Oudheidkamer, Lagedijk 80, Zaandijk 075-283628

Zeeuws Museum, Koudekerkseweg 46, Middelburg 01180-26655

Woord van dank

Bij het samenstellen van dit boek zijn veel instanties en ook partikulieren mij behulpzaam geweest.
Mijn dank gaat derhalve uit naar:

- de direktie, medewerkers en fotodienst van het Rijksmuseum voor volkenkunde 'Het Nederlands Openluchtmuseum' te Arnhem
- de Vriendenkring van het Openluchtmuseum
- de direktie en medewerkers van het Zuiderzeemuseum in Enkhuizen
- de direktie, medewerkers en fotodienst van het Fries Museum te Leeuwarden
- de vele partikulieren in de Zaanstreek en de familie Zeeman op Marken
- de familie Gosker in Arnhem
- de families Bakker en Straatsma op Ameland
- de heer Meine Visser jr., Hindeloopen (kleurplaat 3, rechtsonder; afb. 19)
- De heer K. Postema, Menaldum (afb. 26 linksboven)
- mijn kursisten, die bereidwillig hun werk afstonden om te fotograferen
- mevrouw P.J. Reichenfeld-de Koning, Rotterdam (afb. 26 linksonder; kleurplaat 4 kleine eierdopjes en lucifersdozen)
- mevrouw Enny Braakman, Maarn (afb. 26 rechts; afb. 28 rechts; kleurplaat 1 lucifersdozen; kleurplaat 4 kaarsenstandaard, 6 eierdoppen, zouttonnetje, kammenbakje; afb. 76 tweede rij van boven; kleurplaat 7 sierplank, kleerhangers)
- mevrouw E.N. Stok-Smith, Rotterdam (kleurplaat 1 ovale doosjes)
- mevrouw H. Hendriks, Wageningen (afb. 28 links; afb. 76 rechts en middenonder)
- mevrouw D. Pels-Pieters, Lunteren (afb. 25)
- mevrouw N. de Geus-Wagenaar, Maarn (afb. 80)
- de heer J. Sikkema, Elst (kleurplaat 2 damesklompjes; kleurplaat 3 antiek dienblad)
- mejuffrouw C. Bliek, Nieuwerkerk a/d IJssel (kleurplaat 3 dienblad van Meine Visser jr.; ronde nap van Albert Poeze; afb. 26 linksboven brievenbakje van K. Postema; afb. 19 doosje van Meine Visser jr.)
- de heer J. Beukers, Rotterdam (afb. 76 rechtsboven; afb. 82)
- mevrouw A. Derksen, Arnhem (afb. 76 linksonder)